会話の科学

あなたはなぜ「え？」と言ってしまうのか

Nick Enfield 著
ニック・エンフィールド

夏目大 訳

文藝春秋

会話の科学

あなたはなぜ「え？」と言ってしまうのか

【目次】

第九章　結論～会話の科学が起こす革命　212
これまでの言語学は、現実の会話から目を背けてきた。会話で発揮される能力を調べることで、言語研究に革命が起きようとしている

謝辞　231
注釈　234
参考文献　245
訳者あとがき　257

装丁　観野良太

会話の科学

あなたはなぜ「え？」と言ってしまうのか

ＳＣＬに　感謝を込めて

第一章　はじめに〜そもそも言語とはどういうものか

文法ばかりを重んじる言語学が研究してこなかった日常会話。だが会話を成立させる能力こそが、言語を真に理解する手がかりとなる

私たちの日常の会話に関しては、たとえばすでに次のようなことがわかっている。

・何か質問をされて答えるまでにかかる時間は平均すると、瞬きの時間と同じくらい。つまり二〇〇ミリ秒ほどである。
・質問に対し「いいえ」と答えるのには、「はい」と答えるよりも時間がかかる。それは言語を問わず共通している。
・会話中に相手の返答を待つ時、私たちはだいたい「一秒間」を基準にその速さを評価している。一秒間の間に返答までが一定時間より短いか長いかで「速い」、「遅い」、「ちょうどい

い」、もしくは「返答がない」と判断する。
・会話中は、八四秒に一度、必ず誰かが「え、何？」、「誰が？」など、相手の言ったことを確認するための言葉を発する。
・会話では六〇語に一語は「えーと」、「あー」といった一見、無意味な言葉になる。

言語は、我々ヒトという種に特有な能力だが、ここにあげたような事実はいずれも、その言語がいかなるものかを知る上で非常に重要な手がかりとなる。そう書くと驚く人もいるかもしれない。言語の研究というと、どうしても語義や文法について語られることが多く、こういう細々とした話をすることはあまりないからだ。「えーと」や「あー」がどのくらいの頻度で使われるか、というのはあまりに些細なことで、大した問題とは言えないのではないか、という人がいるかもしれない。そういう人には、チャールズ・ダーウィンがミミズについて語った「この生き物は取るに足りないと思う人もいるだろう。しかし、そういう生き物も私たちは何らかの価値を持つものとして見るべきなのだ[1]」という言葉を贈りたいと思う。

実は、ダーウィンのこの言い方も控えめすぎる。ミミズの観察がいかに重要かを彼はよく知っていたはずだ——ミミズには土壌を耕すという大切な役割がある——そして本の終わり頃になって、ダーウィンはついにそれを隠しておけなくなったらしく「ミミズは実に単純な構造の生き物であるが、それでも地球の歴史に、ミミズほど重要な役割を果たした生き物が果たして他にいたかどうかは疑わしい[2]」と記している。

私は、言語の「単純な構成要素」にも同様のことが言えると考える。そして、それこそがまさに本書の主たるテーマだ。私たちは、会話中、どのようなルールに則って話し手を交代しているのか、何か誤りや誤解が生じた時には咄嗟にどういう対応をしているのか。「あー」、「えーと」、「え?」など一見、無意味に思える音にはどういう機能があるのか。

人間はなぜ言語を使えるのか、言語は人間の知性のいかなる部分によって生み出されているのか、そのことを哲学、心理学、人類学、言語学など、様々な分野の研究者たちが長年、追究してきた。研究者たちは、言語の機能や特性、乳幼児がいかにして言語を習得するか、言語は脳内でどう処理されるか、などを知ろうとした。しかし、日常の会話での言語に関しては、驚くほど何も探究はされず、ほとんど何も語られることがないままだった。言語はまさにその会話において生きて呼吸をするのだと考えれば、それは実に不思議な話である。

会話は、言語が最もよく使用される媒体である。子供たちが母語を習得するときには、会話を通じて学ぶ。言語は世代から世代へと受け継がれるが、主に会話を媒体として受け継がれていく。研究者の多くは書き言葉にばかり目を向けているが、それはあるべき姿ではないだろう。そもそも書き言葉を持たない言語も多いのである。また、形態——ブログ、道路標識、取扱説明書など、書き言葉にも数多くの形態がある——はどうあれ、究極的には、書き言葉の基礎を成すのは、対話、会話という自然発生的、自己組織的なシステムである。

言語についての現在の私たちの科学的知識は、文脈から切り離された単語やフレーズ、文に関するものに偏っていて、それはどう考えても良いこととは言えない。私は本書で、これまでの主流となってきた言語研究で何が見過ごされ、除外されてきたかを話したい。そして、会話というものの内部構造を詳しく解説し、それこそが言語研究の主たる対象であるべき理由をわかってもらいたい。

言語学は、本来、その名の通り言語について理解することを目的とした学問分野だが、本書で紹介するのは、言語学以外の分野で得られた知見がほとんどである。そういうと不思議に思う人も多いかもしれない。言語学には長い歴史があり、確かにこれまで、言語の様々な――すべてとは言えないが――側面について幅広く信頼できる情報をもたらしてくれた。文書や独語《モノローグ》で使われる言語に関しては、言語学は多くのことを教えてくれる。たとえば、文の構造に関する法則などはその一つだろう。しかし、それ以外の種類の言語に関しては――特に、野生の言語とも言うべき会話の言語に見られる特徴に関しては――言語学の文献を読んでも信頼できる情報は驚くほどわずかしか見つからない[3]。

たとえば、ラオ語について研究する時、私は書棚からアレン・D・カーが編纂し一九七二年に刊行された、二巻から成るラオ語英語辞典を取り出すことが多い。これは信頼できる素晴らしい辞書で、一二〇〇ページ以上にわたって、ラオ語の個々の語句についての詳しい解説が載っている。訳すと「呼気」、「必要」、「崩壊」、「カスタード・アップル」という意味になる使用頻度の低い単語も載っている。しかし、「え?」にあたる単語は載っていない。ラオ語においてもおそらく、特に使用頻度が高い単語（ラオ語の会話では約六分に一回、その単語が使われる）なのにもかかわらず、辞書には載っていないのである。これは著者の責任とは言えない。言語を問わず、辞書や文法書には、話し言葉にのみ使われる「不完全な」語句は掲載されないのが普通だからだ[4]。

カーの辞書で何かの語句を調べるのには、ほんの数秒しかかからない。しかし、カーの序文によれば、辞書を作るのには、一二年——一九六〇年から一九七一年まで——という歳月を要している。カーが人生の中からそれだけの時間を投じてくれたおかげで、私のような後の時代の研究者は、ラオ語の語句を調べるのに要する時間を大幅に節約できる。だが、カーの辞書を引いても、目的の語句が出ていない場合がある——たとえば、「え？」にあたる語句を引いても、辞書には出ていない——そうなるとお手上げである。もう外に出て、ラオ語を話せる人を探すしか方法はなくなる。もし、たまたまカリフォルニアのフレズノや、オーストラリアのシドニーに住んでいれば、そういう人を見つけるのは容易である。ラオス料理のレストランがあるからだ。その店に行って、コックかウェイターに尋ねてみればいい。だが、そうでなければ、もはやラオスに行って、現地の人に尋ねる以外に方法はないだろう。

ダーウィンの実験と言語学

言語学の研究においては、先人の書いた論文、書籍が大きなよりどころとなる。そこには、長期間にわたるフィールドワークなどによって得られた知見がまとめられている。言語学に限らず、生物に関わる現象を対象にした研究ならば、すべてその点は同じだろう。たとえば、ミミズの生態について知るには、ダーウィンの丹念な調査の結果をまとめた書物が頼りになる。ダーウィンは、ミミズの観察を繰り返し、その生態を詳細に記録しただけではない。生きているミミズを使った体系的な実験を行うことで、ただ観察するだけではわからない数々の発見をしている。

ミミズに聴覚があるのかを知りたいと思ったダーウィンは、それを確かめる実験をし、こう記している。「私はミミズに金属製の笛の甲高く鋭い音を聞かせてみたが、すぐ近くで繰り返し聞かせたにもかかわらず、それに対してほんのわずかな反応すらしなかった。ファゴットの深く大きな音を聞かせた場合も同様だった」[5]。ダーウィンはさらに実験を続け、ミミズが振動に非常に敏感であることを発見した。「ピアノの音にまったく無反応だった二匹のミミズを壺に入れ、その壺をピアノの上に置き、低い『ド』の鍵盤を弾くと、二匹はすぐに穴に引っ込んだ。二匹が穴から出て来たあと、今度は高い『ソ』の鍵盤を弾くと、やはりすぐに穴に引っ込んだ」[6]

ダーウィンが採ったのは、仮説を立てて、それを対照実験によって確かめるという手法であり、それこそが行動科学の標準的な手法である。その手法の必要条件は、自然環境にいるミミズを長期にわたって注意深く観察することだった。ダーウィンの著書には、ダーウィン本人をはじめとする研究者たちが自然環境にいるミミズを観察して知り得た事実が多数、記されている。研究の対象がどの種の生物であっても、またどういう種類の行動であっても、まずは長期にわたる観察とそれについての記述が必要になる点は変わらない。対象が人間の言語であってもやはり同じだ。

言語学でも、分野によっては運が良ければ、先人がすでに現場で長い年月をかけて研究を重ね、その成果を論文などの文献に残していることがある。中には生涯をその研究にかけて成果を残した人もいる。後の人間は、何か疑問を持った時に、すでに誰かが研究をしていれば、その成果を参照するだけで答えが得られるわけだ。答えを得たいと思った時には、図書館に行けばそれで済む。人間の会話についても、もちろん、過去の研究によって信頼できるデータが得られていれば、それを参照すればいいのだが、大きな問題が二つある。

一つは、言語についてのデータは確かに多いのだが、話者の交代、会話中の「修復」[7]、タイミングといったことがらについてのデータは皆無に等しいということだ。こうした要素は偶然に左右されるため、言語学の主たる対象にはならないと見られているらしい。会話は時に、話者が目まぐるしく交代するなど、混乱したものになるが、そういう会話の言語は単に不完全なもの、異常なものであり、特に構造や法則性などはなく、研究する価値はないと考えられてきた。

ノーム・チョムスキーの一九六五年の有名な言葉からもそれがよくわかる。こういう言葉だ。「言語理論の主たる対象となるのは、いずれも完全に均一な言語共同体に属する理想的な話し手と聞き手の間の会話である。この場合の話し手と聞き手はどちらも言語について完全な知識を有し、その知識を実際の会話に適用する際に、記憶力の制約、注意散漫、注意や関心の移行、誤り（偶然の誤り、あるいは、その人の特性に起因する誤り）といった、文法とは無関係の要素による影響は一切受けないものとする」[8]。この言葉によって、会話中の修復などの要素は、何十年もの間、事実上、研究対象から除外されることになった。その結果、自然環境で実際に使われている言語については、どれほど優れた言語学者もほとんど言うべきことがない、という状況になってしまった。

二つ目の問題は、仮に言語学者が会話について何か情報を提示したとしても、その情報の信頼性が非常に低いということだ。それは、言語学の研究者が、自由に交わされる自然な会話を直に、しかも体系的に観察する、という研究をほとんどしていないためだ。しっかりとした根拠がないために信頼できる情報を提示できない。そもそも会話についてのデータを収集するのは困難だし、たとえ収集できたとしても、そのデータを分析するのは難しい。それに、人間は言語に関して直感的に理解する力に乏しい。言語に対する理解は、それまでに受けてきた教育や、「こういう言語は良い、悪い」という社会のステレオタイプに影響されて歪みやすい。語学を教える教師は、「え?」などという言葉はないし、あったとしても使うべきではなく、本来は「もう一度言ってください」、「すみません」と言うべきだ、などと教えがちである。言語の規範を教えるだけで、実際の言語がどのようなものかはあまり教えない。単に誰かの「言語はこうあるべき」あるいは「こうあるべきではない」という考え方を教えているだけのことだ。日常のごく普通の会話を直に観察して記録すれば、数分もしないうちに「え?」という言葉が使われているのを耳にするはずだ。

会話は「本当の言語ではない」?

日常のごく普通の会話について詳しく研究したいと思っても、そのために必要なデータは辞書にも文法書にも載っていないことが多い。人々が実際にどのように言葉を話しているのかを知るには、実際に話されている言語を特殊な方法で観察するしかない。

私が本書に書いていることのほとんどは、日常の普通の会話の音声、映像を録音、録画することではじめてわかったことである。録音、録画があれば、会話の速度を落とすこともできるし、繰り返し見ることも、聴くこともできる。普通に見て、聴いているだけではわからない細かな部分まで知ることができるのだ。「野生」の言語ならではの構成要素について知ろうとすれば、そういう方法での研究が必要なのである。「えーと」、「え?」といった言葉についてほとんど研究されてこなかったのはそのためだ。

また、そういう言葉を言語学者が記録、研究してこなかった理由は他にもある。まず、そうした言葉は改まった場ではあまり使われない。そして、書き言葉にもまず使われない。そのせいもあって、専門の研究者や、各言語の「ネイティブ・スピーカー」には軽んじられていたのだ。スラングなどと同様、「本当の言語ではない」とみなされることも多かった。

会話の科学的な研究が私たちには是非とも必要だ。

個人がそれぞれに言語を習得でき、処理できることはもちろん大切である。それはこの世界で生きていく上では大きな武器となる能力だろう。ただ、言語の真の価値は会話にあり、会話は当然のことながら一人ではできない。必ずチームワークである。どれほど簡単な会話でも、二人以上の人間が、正確に時間を計りながら協力し合わなければ成り立たないのだ。本書で詳しく話すが、二人の人間が会話をする時には、必ずどちらも、一つの構造の中の互いに連動し合う部品となる。二人は、私が「会話機械」と呼んでいるものの構成要素になるのだ[9]。

会話機械は、個人の持つ社交力や理解力などの高度な能力から成り、その時々の状況の無数の要素——たとえば、止まることのない時間の流れ、など——と関わり合って機能する。私たちの会話が実際にどのようなものになるかは、その機能によって決まるのだ。本書では、人間の実際の会話と、会話機械の実際の動作を細かく分析していく。

これまで、会話について調べてきた研究者は、ほとんどが言語学の外で調査をしていた[10]。しかし、そこでの発見は、言語学者が発してきた深遠な問いへの素晴らしい答えになった。それは「人間にあって、他の動物にないものは何か」という問いだ。それがわからない限り、我々の種だけが言語を持つ理由がわからないのだ。会話機械について探ると、その問いへの答えがわかってくる。本書では、これまでの様々な研究成果を紹介していく。世界中にはどのような言語が存在して、それぞれ構造がどう違っているか、また、あらゆる言語が中核に共通して持っているのはどういう要素か、といったことがわかるはずだ。

人と人との関わり方は文化によって違っているとよく言われる。だから、あらゆる言語に共通する中核の要素など存在するとは思えない、と言う人も多い。しかし、文化による人々の話し方の違いは誇張され過ぎているのではないかと私は考えている。少なくとも、言語の基本的な機能という点では、どの文化でもそう違いはない。会話のしかたは、主観的には文化ごとに大きく異なっているように見えるかもしれないが、客観的には、その違いはとても小さい。言語は確かに、発音、語彙、文法にいたるまで、あらゆる面でそれぞれに大きく違っているが、それでも、たとえば会話の際の、「話し手の交代」に関する法則には、言語ごとの違いはほとんどない。

チョムスキーは「もし火星人の科学者が地球人のコミュニケーションについて研究したとしたら『地球人は皆、同じ言語を話している』と考えるだろう」と言っている。(11) 私も同じ考えだ。ただし、私がそう考える理由はチョムスキーとはまったく違っている。チョムスキーが「地球の言語は一つ」と言った理由は、表面的な構造がどれほど異なっていても、世界中のあらゆる言語の文法の基礎となるルールは共通しているという考えからだ。しかし、言語ごとの構造の違いは非常に大きいので、火星人であってもそれに気づくはずである。世界では六〇〇〇以上の言語が話されていると言われるが、言語の音（手話なら見た目）はそれぞれにまったく違っている。それにもかかわらず、火星人が文法の根本的な構造という抽象的なものに注目して「地球の言語は一つ」と考えるとは思えない。もし火星人が、ホーン岬だろうが、シベリアやタスマニアだろうが、地球上どこでも言語は同じ、と考えるとしたら、それは「話し手と聞き手が次々に交代していく」という性質に注目した時だろうと私は思う。

会話の基本的な形式は世界中どこでも同じだと火星人は気づくだろう。話し手が短い間に次々に交代していく形式である。二人が話していたとしても、話をするのは、基本的にどちらか一方である。そして、どちらも会話をしている間の時間の流れには敏感だ。世界中どこでも、一方が何かを言ってから、もう一方が応答をするまでの時間はだいたい同じで、「一秒」を基準に、その範囲内での微妙な違いから、応答が早いか、遅いか、あるいはちょうどいいかを判断する。また、会話の進行を円滑にするために、「えーと」、「あー」、「え？」といった短い言葉を多用するのも世界中、同じである。人間の会話のこうした特徴に気づいた火星人の科学者は、次に、他の動物を観察してみるかもしれない。しかし、他の動物のコミュニケーションには同様の特徴はないとすぐに気づくだろう。

会話機械を動かす認知能力

実を言えば、地球人の会話について考えるのに「異星人の観察者はどう思うか」などと想像してみる必要はない。地球人の実際の会話を観察する研究者が増えているからだ。会話機械のはたらきを調べる研究者は次第に多くなっている。今では、会話における応答や話者交代のタイミングが正確にどうなっているかや、会話の随所に現れる「えーと」、「あー」などの言葉の持つ意味や機能もかなり明らかになった。そして、言語が表面上、大きく違っても、会話に見られる特徴が皆、似通っているのは、あらゆる人間が社会的交流のために共通して持つ認知機能のせいであることもわかってきた。

言語は、私たち人類が互いに協力的でなければ、また道徳的な思考ができなければ、決して今のようにはなっていないだろう。会話機械を機能させるのに、個人を超えた高度な認知能力が必要になるのは確かだ。まず、言葉の表面的な意味の背後にある相手の意思を推測できなくてはならない（それは他の動物には無理だろう）。そして、相手が今、会話にどの程度、個人的な関心を持って真面目に取り組んでいるかを絶えず監視し、必要であれば、相手がもっと熱心に会話に取り組むよう仕向ける必要もある。また、会話が続くように互いに協力し合うことも大切だ。そのためには、できる限り好意的で効果的な応答をして、会話が続きやすくすることが必要だ。必要に応じて、可能な限り、会話が順調に進むよう、互いに助け合わなくてはならない。これには相当な注意力、努力が必要だし、社会的な認知能力が必要になる。そういう能力を持っている動物は人間だけである。

言語のために必要な認知能力は当然、脳にある。つまり、認知能力を有しているのは個人ということになる。だが、これまでの研究により、会話をする時の認知作業は、個人の脳だけで行われているのではないことがわかっている。会話をするには思考、推論が必要になるのだが、それを行っているのは個人の脳だけではないということである[12]。私たちが脳を使う時に、脳の外の何かに頼るのはごく普通のことである。その多くは物理的な道具である。ペンや紙、スマートフォンなどがそうだ。そうした道具に、脳だけでは手に負えない記憶や推論などを担わせる。会話の際も、同じように外部の道具を使うのだが、それは他人の身体と脳である。

会話の際の認知作業で特に重要なのは、他者の思考、感情、言葉の意味を知ることである。そして、会話に参加している社会単位（自分と会話の相手）が全体として何をしているのか、少なくとも何をしようとしているのかを察知して、行動をそれに合わせることである。言語のための認知は本質的に「会話的」である。会話機械が言語にとって非常に重要なのはそのためだ。ただ、会話をしている時、私たちは自分で会話機械を動かしているのではない。会話機械が私たちを動かしているのだ。

本書ではこのあと、私たちがどのようにして「日常の会話」という驚くべき偉業を成し遂げているのかを解き明かしていく。会話機械とは何で、具体的に何をしているのかもわかるはずだ。まず知るべきなのは、会話には一定の規則があるということだ。その規則の基礎を成すのは、人間に特有の社会的認知と、善悪を判断する力だ。

第二章　会話にはルールがある

会話には文法と別のルールがあり、誰もが自然に使いこなしている。質問や依頼の際のルールが、会話という共同作業を成立させるのだ

私たちは学校で、言語にはルールがあると学ぶ。言語には主語と目的語があり、動詞には活用、語形変化があり、句や文があると知る。何千もの単語を覚える。だが、それだけでは不十分である。単語を組み合わせて文にするためのルールも知らなくてはいけない。そのルールのことを私たちは「文法」と呼んでいる。そのルールについて明確に言葉で説明できる人は多くないが、皆、話をする時には無意識にほぼそのルールに従っており、間違えることはあまりない。

言語には文法以外にもルールがある。たとえば、会話には暗黙の規範がある。誰かに質問をされたら答えるべきだし、答えられないとしても、何かしら応答はすべきだ（なぜ、質問に答

えられないか理由を説明するなど)。また、自分以外の誰かに向けた質問には答えるべきではないというのも会話の規範だ。

これはルールと言うよりも、「マナー」の類だと考えている人も多いだろう。だが実はそうではない。ただし、個人がどう行動すべきかのルールというよりは、人が「チーム・プレーヤー」としてどう振る舞うべきかを定めたルールと言った方がいい。会話を「集団活動」とみなし、その集団活動を円滑にするためのルールというわけだ。会話においては誰もが暗黙のうちにいくつかの権利を有し、同時にいくつかの義務を負う。会話は本質的に、参加者全員の協力によって成り立つもの、参加者の共同行動なのだ。

共同行動の能力は、社会生活の能力だと言うこともできる。私たち人間は誰かと協力して何かをする時、(通常は言葉になっていない暗黙の)ルールに従う。共通の目標に向かって力を合わせるためだ。私たちは、目標に対して道義的責任を負う。目標を達するべく、できる限り努力をする責任を負うのだ。人が他人と共同で何かをする時には、行動のしかたが変わるだけでなく、物の考え方も変わるのだ。

哲学者のジョン・サールは、公園の中の休憩所に大勢の人たちが避難する状況にたとえてそれを説明している(1)。皆、それぞれに違う方向からやって来て休憩所に避難する人たちだ。サールは、その状況には大きく分けて二つの種類があると言っている。一つは、急に雨が降り出したので皆が避難するというような状況だ。この場合は、互いにまったく無関係な人たちが休憩所に入ることになる。全員が同じ理由で同じ場所に向かっているので、その行動は調和しているように見えるが、実際にはそれぞれが勝手に行動している。避難している人たちは集団として行動しているわけではない。もう一つは、避難する人たちが皆同じ屋外バレエ一座のメンバーというような状況だ。全員が同じ興行に参加しており、そのため全員が同じ時刻に同じ場所に集まっている。二つの状況の最大の違いは、一人一人の意識だろう。自分が今、何をしているか、という意識がまったく違う。一つ目の状況では、おそらく皆、「私」はシェルターに向かって走っている、と思っている（他の人たちが同じように行動しているのは偶然だ）。二つ目の状況では、「私たち」がシェルターに向かって走っている、と思っている。この違いは意外なほど大きい。まず重要なのは、後者の場合、関わっている人たちが自分の行動を倫理的に良いか悪いか判断するということだ。

哲学者のマーガレット・ギルバートは、これに関して、考えられ得る限り最も簡単な行動を例に使って探求している。(2) ギルバートの関心は社会現象一般にあったが、「散歩」という行動を考察の例として使った。ギルバートはサールと同様に、表面上は同じに見える二つの状況を対比させて考えた。どちらも二人の人間が並んで歩いている点では変わりはない。一方では、二人の人間は、偶然同じ時にどこかの場所で同じ方向に歩いているにすぎない。しかしもう一方では、二人の人間はどちらもそのつもりで共に散歩をしている。

ギルバートは二つの状況の重要な違いを指摘している。二人のうちの一方が少し速度を上げ、もう一人より前に出たとしたらどうだろうか。一つ目の状況では、特に大きな変化は起きないだろう。しかし、二つ目の状況では、前に出た人はやんわりと非難されることになるのではないだろうか。「速度を落とさなくてはいけない。でなければ、一緒に歩くことができない」と言われてしまうのだ。

会話の権利と義務

共同行動には必然的に、権利と義務が生じる。(3)ギルバートによれば、共に散歩をする二人の人はそれぞれ、「相手から注意を向けてもらう権利」と「相手に行動を修正してもらう権利」を有する。(4)同時に二人の人はどちらも、散歩するために必ず適切な行動を取るという道徳的義務を負うことになる。たとえば、一方が先に行ってしまった時には、もう一方は、それをやめさせ、なぜやめなくてはいけないかを説明する義務を負う。どちらも共同行動に関わり続ける義務を負うと同時に、相手が関わり続けようとしなければ非難する権利を有する。同じことは、会話のルールにも言える。いくつかの例を基に考えてみよう。

質問は人間の言語には普遍的に見られる要素である。質問の文を作るための文法的なルールは、はい／いいえで答えられる質問でも、誰が／どこで／何がというタイプの質問でも、言語によって大きく異なっている。ただ、私はここで、質問文が文法的にどう作られるかということには注目しない。人間と人間の関わりにおいて質問というものがどういう役割を果たすかに注目する。共同行動はすべてがそうだが、質問にも、責任と道徳的義務が伴う。

たとえば、私があなたに「今、何時ですか」と質問したとしよう。するといきなりあなたは道徳的義務を負うことになる。まず、あなたは、ただ黙っていることができなくなる。答えを知っていようがいまいが、とにかく何かしらの応答をしなくてはならないのだ。また、応答をしない場合には、少なくとも相手がやんわりとでも非難をする権利を持つ、ということを認識した上でそうすることになる。

ここで例として電話での会話を見てみよう。これは、祖母と孫娘の電話での通話だ。祖母は孫の健康状態を心配しており、孫に医者に行って欲しいと思っている。そのため祖母は「あなたが病気になるかもしれないのに、何もできずにいるなんて耐えられない」と発言する。その後の会話を以下に引用する。(5)

1. **祖母**：じゃあ、お医者さんに行ってくれるのね。
2. （2・5秒間沈黙）
3. **祖母**：もしもし。
4. **孫**：何？
5. **祖母**：お医者さんに行くのね？
6. **孫**：あのね——おばあちゃん、お医者さんに行くって簡単に言うけど、高いのよ。

祖母が直接的な質問をするのだが、それには応答がない。しかし、孫には応答をする義務がある。祖母には孫に応答を求める権利がある。満足のいく答えが得られるまでは応答を求める権利があるのだ。祖母は、孫が応答をしないことに対して明確な批判をしていないが、応答を求める言葉は一種の非難であると解釈できる。6で孫は一応、応答をしている。質問に直接、答えてはいないが、一応、質問された者の義務は果たしているのだ。これは、私が誰かに時刻を尋ねた時も同様である。尋ねられた側には、時刻を知っている義務はないが、知っているにせよ、知らないにせよ、そのことを口で言う必要がある。

他の例も見てみよう。(6) この例では、人物Aが質問の補足をしている。それも一度だけではなく二度も。それでようやく、人物Bから求める返答が得られている。

1. **A**：何か困っていることはありますか？
2. （1秒沈黙）
3. **A**：はい、いいえで答えてもらいたいのですが。
4. （1・5秒沈黙）
5. **A**：どうですかね？
6. **B**：ないですね。

中には、先の例の祖母よりもはっきりと相手を非難する人もいる。以下は心理療法のグループ・セッションの例だ。(7)

1. **ロジャー**：でも、教えてもらいたいんですよ。皆、そういう感じなのか、私はちょっと皆から外れてしまっているのか。
2. **ケン**：話題を変えるつもりではないんですが――。
3. **ロジャー**：話題は変えないでください。質問に答えてください。
4. **ケン**：変えてませんよ。でもね、ちょっと言っておきたいことがあるんです……。

この例ではロジャーが質問をしている。ケンが質問への応答以外のことをしようとしたので、ロジャーは明確にそれを非難している。何をしてはいけないか、何をするべきなのかもはっきり言っている。ルールを破る者がいた場合には、それを非難する権利を有しているからだ。

質問には他にもルールがある。それは応答自体に関するものではなく、誰がそれに応答するかに関するものだ。ここでは三人の若い女性の会話を例にとろう。エイミー、ルース、オリーブの三人だ。三人は共通の知人について噂話をしている。(8)

1. **エイミー(オリーブに質問)**：彼女、あなたに電話したの？　あなたと電話で話したの？
2. **ルース**：いや、それは時間の無駄でしょ。
3. **エイミー**：私はオリーブにきいてるの。なんであなたが答えるのよ。
4. **ルース**：わかった。ごめん。
5. **オリーブ**：一回かかってきた。私のお母さんが怒ってないか気にしたらしくて。でも、それだけ……。

オリーブに向けられた質問にルースが答えようとすると、エイミーは少々、厳しめに非難をしている。こういう例からも、質問という行為からは道徳的な責任が生じるのだとよくわかる。単に同じ会話に参加しているという事実だけで、もしその会話において適切に行動しない人がいれば非難をしてもよいという権利が得られる。そのルールは暗黙の規範なので普段は目に見えず、誰かそれを破る者が現れた時にだけ存在が明らかになる。

これまでに紹介した例だけでも、人が質問に関するルールをどれだけ厳格に守っているかがわかるだろう。誰かがそのルールを破った場合には、守らせようとすることもわかる。それだけルールに強制力があるということだ。特に裁判所で宣誓をしたわけではない。日常のごくありふれた会話だ。にもかかわらず、皆、ルールを真面目に守ろうとしている。

質問と頼みごとのルール

では、ルールがあるからおかしなことは絶対にできないのかといえば、そうではない。先の例でも見た通り、質問をされた人は、応答をする義務を負うし、できれば実のある回答をすることが望ましいとされる。しかし、政治家なら皆、知っているように、回答の内容に関してはかなりの自由度がある。アメリカの元国防長官、ロバート・マクナマラは「きかれた質問に答えてはいけない。きいて欲しい質問に答えるのだ」と言っている。[9]

こういうことができるのは、質問に対して何らかの応答をすれば、一応、ルールを守ったことになるからだ。必ずしもきかれたことに答えていなくてもいいのである。一九八八年のアメリカ副大統領候補者討論会での、ジャーナリストのジュディー・ウッドラフとダン・クエールのやりとりを見てみよう。[10]

ウッドラフ：上院院内総務のボブ・ドール氏は、あなたよりもっと副大統領にふさわしい人を選べたはずだと言っています。また、共和党内には、非公式の場ではドール氏よりさらに辛辣な人もいます。そのように、あなたが近くで見ている人たちに良い印象を与えられていないのはなぜだと思いますか。

クエール：そのご質問は要するに、私に副大統領になる資格があるか、ということだと思います。私にその資格がないということになれば悲劇ですから。副大統領や大統領になる資格は、ある年齢になれば自動的に得られるというものではないでしょう。その人がこれまで何をしてきたのか、どういう経験をしてきたのかを見なくてはいけません。

クエールは質問に対して応答をする義務があるが、回答のしかたはかなり自由に決められる。ここでクエールは、実際にきかれた質問というより、自分がきかれたい質問に答えている。誰かに質問をする際、自分が質問をするということを事前に相手に知らせることもある。以下は、ラジオのトーク番組の例である。(11)

1. **番組に電話をかけた聴取者**：ききたいことがあるんです。
2. 　手紙を書いたんですよ。
3. **司会者**：そうですか。
4. **聴取者**：州知事に。
5. **司会者**：なるほど。
6. **聴取者**：知事に対する自分の意見を書きました。

7. 返事をもらえると思いますか。
8. **司会者**：はい。

聴取者はまず、尋ねたいことがあると告げるのだが、すぐには質問をしない。その前に質問の背景を説明する。司会者はそれに反応をして、「私は話を聴いています」と伝える。そしてようやく、質問がなされ、司会者は応答する。このように前置きをすると、しばらく相手にものを言わせない時間を作ることができるし、相手を会話に深く入り込ませることができる。この例では、司会者は質問に応答する義務を負うだけでなく、聴取者が背景説明をする間、その話に静かに耳を傾けなくてはならなくなっている。

時には、実際に質問をされるまで、かなり長い間待っていなくてはならない場合もある。次の例でも、聴取者は先に「質問をさせてください」と言っている（1の部分。該当箇所には傍線を引いた）。その後、司会者は、聴取者が話をする間、ただ続きを促す以外のことは何もできず、34でようやく実際の質問がなされるまで待っているしかなかった[12]。

1. **聴取者**：いいですか、クランドールさん、質問をさせてください。
2. タクシーの話です。あなたが今、街角に立っているとします。
3. それでタクシーの運転手に声をかけたとします。
4. **司会者**：はあ。

5. **聴取者**：いいですか、タクシーの運転手ですよ。
6. **司会者**：そうですね。
7. **聴取者**：あなたは街角に立っていた。
8. **司会者**：はあ。
9. **聴取者**：私は、クイーンズに住んでいるんです。
10. **司会者**：なるほど。
11. **聴取者**：クイーンズ・ブールバードの近くです。
12. **司会者**：はい。
13. **聴取者**：私は今、クイーンズ・ブールバードと三九丁目が交差するところに立っています。
14. **司会者**：そうなんですか？
15. **聴取者**：えーっと私は――タクシーが来ましたね。そっちに向かって手を振ることにします。
16. はい、呼んでみます。「乗ります、乗ります」。呼びました。
17. **司会者**：はい。
18. **聴取者**：今まさに手を振っています。本当はうちの居間にいるんですけどね。
19. **司会者**：（笑う）
20. **聴取者**：そしたら、あ、タクシーは私の横を素通りしていきました。
21. **司会者**：ははあ。

22. **聴取者**：だいたい二ブロックか三ブロック――だいたい三ブロック先
23. ――私の進行方向の、三ブロック先くらいにタクシー乗り場があります。
24. **司会者**：そうなんですね。
25. **聴取者**：病院もあります。さらにちょうど一ブロック先には
26. 地下鉄の駅があります。
27. **司会者**：はあ。
28. **聴取者**：三ブロックか、四ブロック
29. 歩いて、タクシー乗り場まで来ました。
30. **司会者**：はい。
31. **聴取者**：最初に立っていたところからは移動してしまいました。
32. あそこの角のところからは。
33. **司会者**：それで？
34. **聴取者**：もうタクシーは止まってくれないですかね？

誰かが何か頼みごとをする際にも、質問の場合と同じようなルールが適用される。次の例では、フレッドが最初（1）に、自分はこれから頼みごとをするとことわっている。それに対してビーは「話してみて」と言っているが、それによって、頼みごとを聞くべきか否かを検討するだけでなく、前置きも含め相手の話が完結するまで注意深く耳を傾ける義務を負うことになる。この例では、頼みごとが何なのか明確に話されないが、5でのフレッドの言葉から、シャ

ツにボタン穴をつけたいのだということはわかる。[13]

1. **フレッド**：あ、あのね、ちょっと頼みごとがあるんだけど。
2. **ビー**：そうなんだ。話してみて。
3. **フレッド**：何週間か前にシャツを作ってくれたよね。
4. **ビー**：うん。
5. **フレッド**：この週末にラスベガスに行くんだけど、その時に着ようと思っているんだ。だけど、母さんのミシンが壊れてしまって、ボタン穴がつけられなくて。
6. **ビー**：シャツを作った時に言ったよね。ボタン穴も私がつけるよ、って。
7. **フレッド**：うん。でも、そこまでしてもらうの悪いから。
8. **ビー**：大丈夫。月曜日、仕事が終わったらやるよ。

頼みごとをすると先に予告する際、それを質問のかたちにすることもある。たとえば「一つ頼んでもいいですか」という具合に。次の例では、ジムは一応「言ってごらんよ」とは言っているが、あまり頼みごとを聞く気がないのがよくわかる。しかし、頼みごとが何なのかがはっきりする（7ではっきりする）までは聞き手としての役割を果たそうとはしている。[14]

1. **ボン**：頼んでもいいかな。
2. **ジム**：内容によるけど、まあ言ってごらんよ。

3. **ボン**：何日か前電話したんだけど、お母さんから聞いてない？
4. **ジム**：いや、何も聞いてない。
5. **ボン**：電話したんだよ。
6. **ジム**：そうなんだ。
7. **ボン**：拳銃貸してもらえないかと思ってさ。

予告すれば大丈夫

質問や頼みごとがあることを最初に知らせれば、途中で相手が遮るのを防ぐことができるが、何か長い話をしたい時にも、同じ方法が使える。次の例では、ジョンがエディに話したいことがあると最初に告げている。そのあとはしばらく本題には入らず、前置きが続く。実はこれはジョンのジョークで、11が落ちになっている[15]。

1. **ジョン**：ちょっと聴いてくれるかな。
2. 覚えてるかな——ほら、車を見に行ったところ。
3. あそこにまた行ったんだよ。
4. 同じ場所に。
5. そうしたらさあ
6. よく聴いてくれよ。
7. あそこに一緒に行ったの覚えてる？

8. エディ：うん。
9. ジョン：そこで会った人がいたよね。
10. また同じところへ行ったら、同じ人に会ったんだよ。
11. そしたら、君のことを僕の息子だと思ってたって言うんだ。
12. （笑い）

相手にこれからのことを最初に予告すると、しばらくの間、話を遮られるのを防ぐことができる。話をするための土台作りができるのだ。たとえば、会話の冒頭で誰かがあなたに「ちょっと聴いてよ。倉庫ですごくすごくかわいいことが起きたんだよ」と言われたとしよう[16]。こう言うことで、言った人は、守るべきルールを提示したことになり、これからしばらくの間、会話を支配するわけだ[17]。この場合の「ルール」には、以下のような権利と義務が含まれる。

・予告を受けた側は、続きを促す信号（「何？」、「なるほど」、「それで？」、「何があったの？」といった言葉など）を送らなくてはならない。
・予告した側は、しばらくの間、遮られることなく話をすることができる。
・予告した側は、予告に沿って話をしなくてはならない。「倉庫ですごくかわいいことが起きた」という予告をしたのであれば、話の山場がその予告に合うものでなくてはならない。
・予告を受けた側は、予告した側の人をよく見て、話が続く間、注意を向けなくてはならない。また、話されている内容を理解していることを知らせる明確な信号（「うんうん」と言う、うなずく、など）を送るべき。
・予告を受けた側は、話が終わるまで、途中で話題を変えたり、立ち去ったりしないで注意を向けなくてはならない。
・話が「落ち」あるいは「山場」の部分（ここでは、「すごくかわいいこと」が語られる部分）に到達したら、聴き手は、何らかのかたちで話の内容を理解していることを伝え、「ははは！」と笑うなどの手段で、話に対する自分の評価も伝えなくてはならない。
・話が終わって、それに関連することを話したい場合は、まずは相手の話に言及しなくてはならない。

予告を受けた場合の振る舞い方は、一見すると単なる「礼儀」のように思えるかもしれない。確かに、そういう面はあるし、同じようなことが書かれた会話のエチケット本は探せば多数見つかる。たとえば、サラ・アニー・フロストの一八六九年の著書『フロスト版　アメリカ社会の規則集（Frost's Laws and By-Laws of American Society　未邦訳）』には、次のような記述がある。

興味を持って注意深く話を聴くことは、上流社会においてはうまく話をすることと同じくらいに重要だ。それができるかどうかは、聴き手になった人の人格にかかっている。その人が上流社会にふさわしい上品で洗練された人格を有しているかどうかはすぐに明らかになる。誰かがあなた話を聴いているはずの時に上の空になることは絶対に避けなくてはならない。

に話をしているまさにその時にぼんやりとして、気が抜けているような表情を見せるほど失礼なことはない。チェスターフィールド伯は「心ここにあらずの人間を見るくらいなら、いっそその場にいてくれない方がいい」と言っている。実にもっともな言葉だろう。(18)

だが、実を言えば、これは単に礼儀正しいかどうかという問題ではない。誰かが話をする時にこのようなルールが存在しなかったとすると、話がうまくできる保証がまったくなくなってしまうのだ。誰かに話をする、話を聴くという動作には、私たちが他人と体験を共有できるだけでなく、毎日の生活の中で起きる出来事についての評価を共有できるという意味がある。それができなくなるのは大変な問題である。会話には、人と人とを結びつけるという重要な機能があるが、その機能を果たせなくなってしまうのだ。

ルールの果たす社会的機能

では、ここまでに見てきた会話のルールが具体的にどのような社会的機能を果たすのかを一つずつ見ていくことにしよう。

会話のルールの機能としてまず大きいのは、簡単には話せないことを話す場合に、最初に必要な時間を確保できるということだ。日常の会話は基本的に、参加者が交代で話す形式で進んでいく。自分の番が回ってきても、話したいことをすべて話しきれる保証はない。あまり長い時間がかかると持ち時間が終わり、別の人の番になってしまう。そうなるとおそらく会話は別の方向へと流れていってしまう。しかし、本来は、話がまだ続行中ならば、長くなったとしても、聴いている側は口をはさむのを控える方がいい。口をはさんで話題をまったく変えてしまうことなどない方がいい。たとえ、どれほどそうしたいと思ったとしてもそうすべきではないのだ。だが、人の話を聴いていて、その話がいつまでも終わりそうもなくて困ったという体験は誰もがしているだろう。だから、当然、聴き手の側も、話し手に早く要点を言うよう頼むことはできる。話し手は遮られずに話す権利を有してはいるが、同時に、話が長くならないよう努力する義務も負うのだ。

　ルールにはその他、会話という共同行動に参加している自己と他者の両方の監視に役立つ、という機能がある。「聴き手は話し手に注意を向けなくてはならない」というルールのおかげで、話し手は聴いてもらえているか、理解されているか否か不安にならずに話を進めることができる。

　さらに、ルールにはもう一つ、人と人との結びつきを強めるという機能がある。会話は単なる情報伝達ではない。起こったことを説明するだけが話ではないのだ。起こったことの評価をし、それに対する態度を決める、という要素もある。それは酷いことなのか、あるいは驚くべきこと、間違ったこと、楽しいことなのか。話し手と聴き手の評価、態度は同じになるとは限らないが、仮に同じになったとしたら、二人の社会的な結びつきは強くなるだろう。

　社会的動物には、仲間どうしの連携を強めるための行動があるが、人間にとってはそれが言葉による会話だということだ。たとえば、オマキザルの場合は、互いを直接攻撃し合うという行動がそれにあたる[19]。これは、個体が自分の態度を周囲に示すためによく用いられる手段である。この攻撃は本物の攻撃ではなく、擬似的なものであることが多い。仲間が共同で、何かの動物の卵や泥の塊など、無害なものを攻撃する「ふり」をすることで結びつきを強めることもある。本当は、皆でどういう態度を取るかはさほど問題ではない。攻撃をするのでも、何かに興味を示すのでもなんでもいいのだ。重要なのは、仲間が皆、同じ態度を取るということだ。

人間の場合も同様のことが言える。私たちが有名人の噂話をする場合などがそうだ。オマキザルが無害なものを標的に攻撃をするように、人間も有名人というコストの低い標的を使って、結びつきを強めようとするのだ。日常会話の中で、たとえば通勤中の電車内で起きた出来事について短い話をするのも同じような意味を持つ。その出来事について、話し手と聴き手の評価、態度が同じになったとしたら、それによって両者の結びつきは強くなる。そういう利点があるため、私たちには、会話のルールを守る十分な動機がある。

会話のルールは破った場合の弊害が大きい。それを避けることもルールを守る動機になっていると考えられる。ルールの存在は、それが破られた時に明確になる。一九六〇年代のカリフォルニア大学ロサンゼルス校（UCLA）の社会学者、ハロルド・ガーフィンケルによるいくつかの非公式な実験は、そうした考えを基に行われた。そのうちの一つでは、被験者となった学生たちに、知人や友人とごく普通の会話をするように言う。被験者には説明しないのだが、この実験で知ろうとしたのは、人がどういう会話を「ごく普通」だと思っているかだった。[20] 普通の会話では、多くの人があまり細かいことは話さない。それで、自分の言うことが十分に伝わると考えているからだ。人は、特に気分を害されない限り、そのルールを守ってあまり細かいことは話そうとしない。ガーフィンケルの実験で、学生がこのルールを破った例を次に紹介しよう。[21]

Ａ：タイヤがパンクした。
Ｂ：それってどういうこと？　タイヤがパンクしたって。
Ａ：（しばらく唖然としてから）「どういうこと」ってどういうこと？　パンクはパンクだよ。それでわかるだろ。特に難しくはないし。バカなこときくなよ！

次はテレビを見ている夫婦の会話の例だ。(22)

Ａ：疲れた。
Ｂ：疲れたって、どういうふうに？　身体的に疲れたのか、精神的に疲れたのか、それともただ退屈したのか。
Ａ：わからない。身体的に、かな。
Ｂ：筋肉痛にでもなったのかな。それとも骨に問題が？
Ａ：まあ、そうかな。そんな細かいこと言わないでよ（テレビを見る）。
Ａ：こういう古い映画見ると、ベッドが全部、鉄のベッドだよね。
Ｂ：どういう意味？　本当に古い映画全部？　一部じゃないの？　君の見たやつだけだよね。
Ａ：それがどうしたの。私の言っている意味わかるでしょう。
Ｂ：もっときっちりしゃべってもらいたいと思ってね。
Ａ：何言ってるの、バカね！

会話に失敗すると気まずいだけでなく、社会的な損失も大きくなる。会話の規範をほんの少し破るだけでも、怒りにつながり、会話した相手と対立することがある。ここで例にあげたようなルール違反は通常、長く続けられない。にもかかわらず、同じようなルール違反を繰り返す人がいると、精神疾患を疑われることになる[23]。

私たちは会話する時に台本に従っているわけではない。にもかかわらず、概ねうまく会話ができるし、何かうまくいかないことがあった場合には敏感に察知できる。これは会話にはルールがあり、それを意識しながら会話しているからだ。ルールをただ意識しているだけでなく、相手がそれを破った場合には制裁を加えようとする。この章では、会話の二つの重要な特徴について話した。一つは、会話には、その構造を決め、会話の性質や流れる方向を定めるルールがあるということ。もう一つは、会話の際、私たちは高度な社会的認知能力を駆使して、相手の行動を細かく監視しているということだ。そして、ルール違反が見つかった場合には、権利を行使して非難する。制裁を加えることもある。

会話にはルールがあり、人間にはそのルールを守る動機がある。そこに大きく関わってくるのは「時間」という要素だ。時間は常に流れており、止まることがない。ここで見てきた会話のルールでは、私たちが「どのように」行動すべきかというだけでなく、「いつ」それをすべきかも定められている。第三章と第四章では、この時間という要素についてさらに詳しく見ることにしよう。

第三章　話者交代のタイミング

リアルな会話では、瞬きよりも速く話者が交代して話が進んでいく。我々は相手の話が終わることをどうやって予測し、話し出すのか？

会話の研究に関してよく引用されるのが、アメリカ言語学会の機関誌『ランゲージ（Language）』で一九七四年に発表された一本の論文だ。「会話における順序交代の秩序に関する簡単な体系学（A Simplest Systematics for the Organization of Turn-Taking for Conversation）」と題されたその論文は、ハーヴェイ・サックス、エマニュエル・シェグロフ、ゲイル・ジェファーソンの手によるものだ。三人はいずれも一九六〇年代においては異端の社会学者だったが、人間の自然な対話のミクロ社会学的現象についての研究手法の基礎を作った人たちでもある。この手法はほぼそのまま現在も使われており、「会話分析」と呼ばれている。(1)この章では主にこの会話分析について触れる。

サックスらは、まず、人々の日常のごく普通の会話を観察するところから始めた。たとえば、朝食のテーブル、バス停、ウォータークーラーの周りなどで繰り広げられる会話を観察したのだ。観察しても一見、特に注目すべき点はないように思えた。わかったのは次のようなことである。

・会話中は、話者が度々変わる。
・ほとんどの場合、話者は一度に一人。
・時折、複数人が同時に話すこともあるが、長くは続かない。
・話者の遷移はほとんどの場合、整然と行われる。明確に知覚されるほどの間が空いたり、話者が重複したりすることはめったにない。
・話者の順番はあらかじめ決まっているわけではなく、会話中に順番が変わることもあり得る。
・話者が一度に話をする長さは決まっているわけではなく、時々で変わる。
・会話の長さは前もって決まっているわけではない。
・話者が具体的に何を言うかはあらかじめ決まっているわけではない。
・時々、次に誰が話すべきかが明確にわかることもある（例：その人が何か質問を受けた時）。だが、誰かが「次は自分が話す」と勝手に決めることもある。

この中には議論の余地もなく当然と思えることもあるが、異論の出そうなことも含まれている。たとえば、「話者は一度に一人」というのには、一般の人だけでなく、専門の研究者からも異論が出そうだ。文化や状況にもよるが、複数の人が同時に話してしまうことはごく普通にあるのでは、と言う人は多いだろう。そうした異論についてはこの章の中で詳しく触れるが、今のところは、英語圏の、ごく普通のくだけた場での会話についてだけ考えることにしよう（取りあげる例のほとんどは電話での会話である）。

表3・1

（通話開始）

マシュー：		もしもし733-224-5061です。
ヴェラ：	［0・15秒空き］	もしもし、マシュー。お母さんはいるの？
マシュー：	［0・13秒空き］	いや、今ちょっと出かけてる。
ヴェラ：	［0・24秒空き］	そうなのね。ヴェラおばさんから電話があったって伝えてくれる？　じゃあ
マシュー：	［0・03秒重複］	はい。
ヴェラ：	［0・13秒空き］	お願いね。お母さんは元気？
マシュー：	［0・10秒空き］	はい。
ヴェラ：	［0・07秒空き］	それじゃあ、またね。
マシュー：	［0・02秒空き］	それじゃ。

（通話終わり）

この会話は、あまりにもありふれているように見えて驚く人もいるかもしれない。特に注目すべき点は何もないように思う人も多いだろう。だが、それこそが、会話を専門にする研究者の興味を惹くところだ。当事者本人は何も考えずに適当に会話をしていると感じているに違いない。しかし、観察している研究者の目にはそう見えない。話者の交代には常に一定の理由が存在するように見えるのだ。整然と、一切、滞ることなく交代が行われていることが多い。

表3・1を見ると、話者の交代がいかに素早く効率的に行われているかがわかる（[　]の中には、交代までの間にどのくらいの時間が空いたか、あるいはどのくらい重複したかが書いてある(2)）。

この例では、話者交代のタイミング——つまり、一方の人が話し終え、もう一方の人が話し始めるまでに要する時間——はほぼ一定していて、非常に短い。ほぼ〇・一秒から〇・二秒の間に収まっている。

話者交代はルール厳守？

もちろん、こういう例が一つあるだけで、言語全般について何かが言えるわけではない。話者交代の際に、本当に大きな隙間も重複もできないのかについては、何度か大規模な調査が行われている。私自身は二〇〇六年に、J・P・ド・ルイター、ホルガー・ミッテラーとともに、オランダで電話での通話を録音する調査を行った。この調査で私たちは、話者交代が起きる度にその所要時間を計測した——制約のない自由な会話で、合計で一五〇〇回を超える話者交代が起きた——そして、図3・1のように、所要時間は〇秒に非常に近いことが多いとわかった。

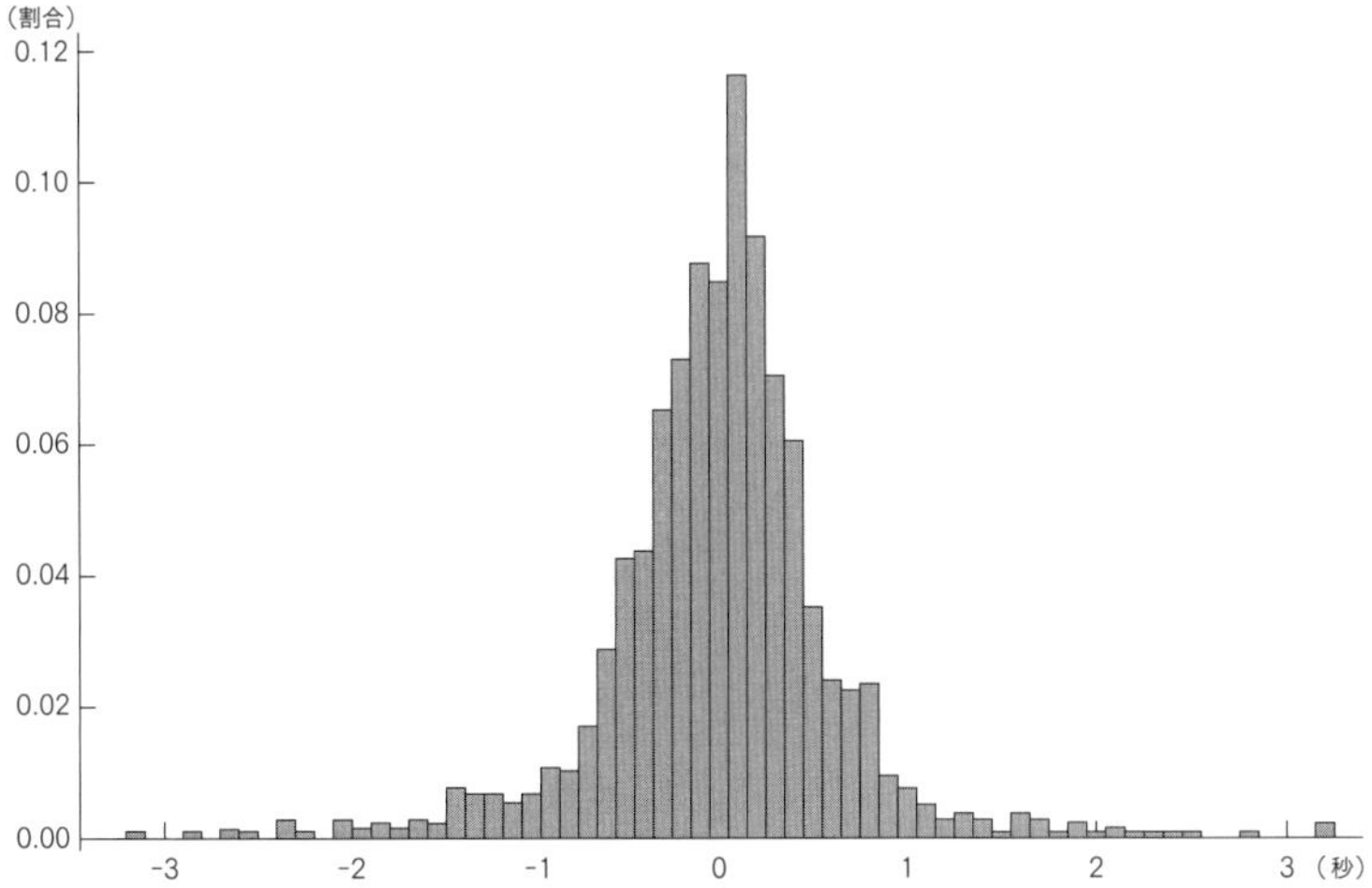

図3.1　電話での話者交代に要した時間の分布。オランダでの調査結果。合計1521回の話者交代のデータ。計測は100ミリ秒単位で行われた。グラフの高さは、その所要時間での話者交代が、全体のなかでどれくらいの割合で起きたかを表している。200ミリ秒程度での話者交代がもっとも多いことがわかる。
出典：ド・ルイター、ミッテラー、エンフィールドの2006年の論文、517ページより改変

話者交代の四〇パーセント超で、生じる隙間、あるいは話者の重複が四分の一秒以内に収まっている。また、会話中、隙間や重複が生じたのは、すべて話者交代の時である。話者交代の八五パーセントで、隙間や話者の重複は、四分の三秒以内になっている。

英語圏では、心理言語学者のスティーブン・レヴィンソンとフランシスコ・トレイラが同様の調査をしている。会話中の人たちの合計二万回超の話者交代の所要時間を計測した調査だ。この時もやはり図3・2のようにほぼ同様の結果が出ている。[3]

こうした結果からも、話者交代を整然と行うことは、会話における規範になっていることがうかがえる。ここで例にあげた調査の対象になった三四八の会話は合計で三八時間にもなったが、その中で、話者の重複が起きた時間は全体のわずか三・八パーセントにすぎなかった。この結果からも、話をするのは必ず一度に一人というルールが、英語圏でもオランダ語圏でも守られているとわかる。

心理学者のカリーナ・リースト、アネット・ジョーシック、J・P・ド・ルイターが二〇一五年にドイツで実施した調査でも、合計で一五〇〇回の話者交代の所要時間を計測したが、やはり図3・3のような同様の結果が得られている。[4]

この結果は二つの理由で注目すべきものだ。一つ目は、人々が、会話で一度に話すのは一人、というルールを概ね守っているということ。話者の交代は、ほとんどの場合、長い間が空くことも、話者の重複が起きることもないように行われている。もちろん、少し隙間が空くのは珍しくはないし、重複もたまには起きる。しかし、ほとんどの場合、それは一秒の半分にも満た

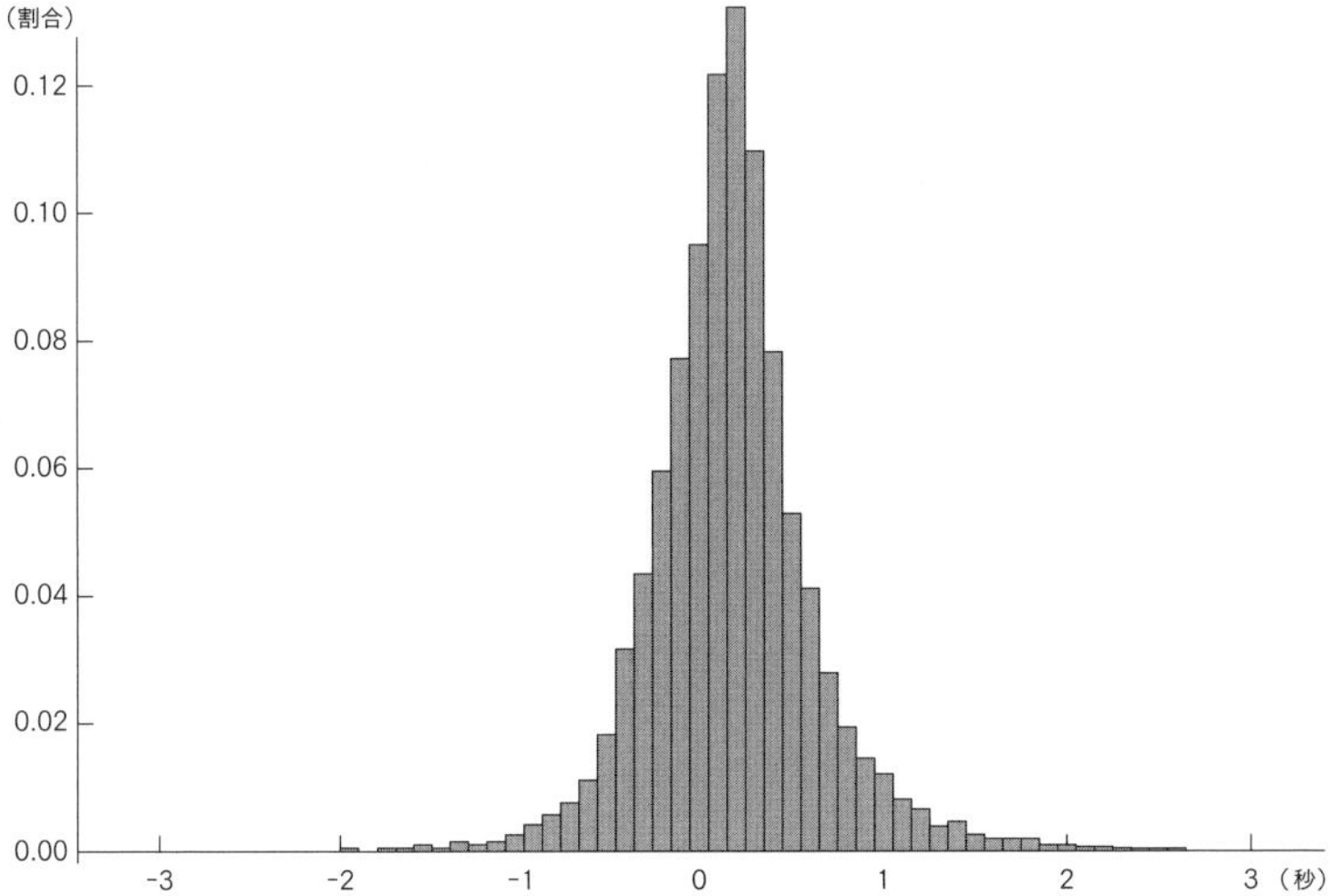

図3.2　話者交代に要した時間の分布。英語圏での例。合計で2万回超の話者交代に要した時間の分布を示している。計測は100ミリ秒単位で行われた。グラフの高さは、その所要時間での話者交代が、全体のなかでどれくらいの割合で起きたかを表している。200ミリ秒程度での話者交代がもっとも多いことがわかる。
出典：レヴィンソンとトレイラの2015年の論文、16ページより改変

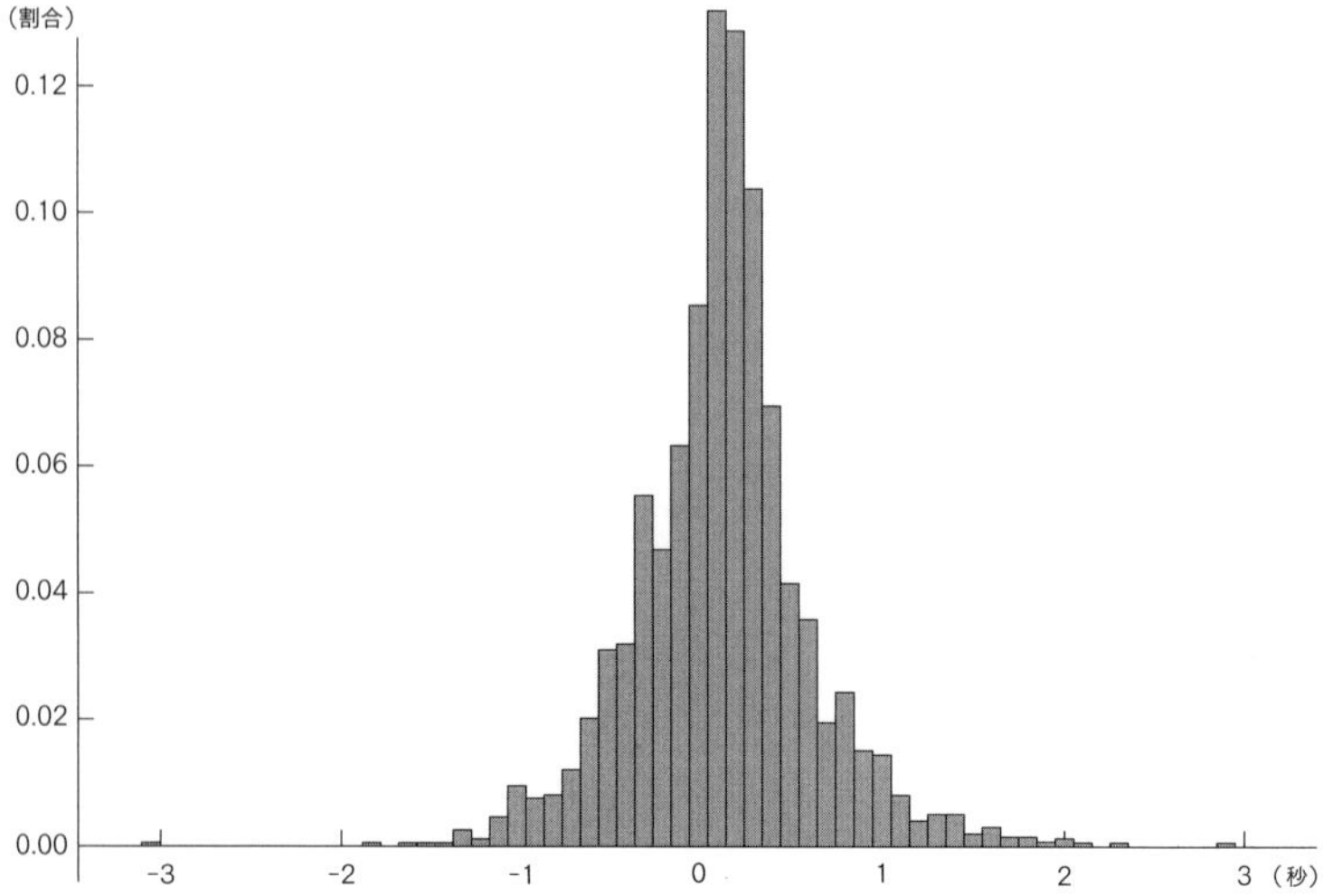

図3.3　話者交代に要した時間の分布。ドイツ語圏での例。合計で1500回の話者交代に要した時間の分布を示している。計測は100ミリ秒単位で行われた。グラフの高さは、その所要時間での話者交代が、全体のなかでどれくらいの割合で起きたかを表している。200ミリ秒程度での話者交代がもっとも多いことがわかる。
出典：リースト、ジョーシック、ド・ルイターの2015年の論文、65ページより改変

ない時間だ。この事実は、話者が、隙間も作らず、重複も起こさないことを規範としていることを意味する。実のところ、人間は言語に関するルールをあまり守らないことが普通なので、それを考えると、これは驚くべきことである。文法書を読むと、言語に関するルールが数多く載っている——たとえば、「前置詞で文を終わらせてはならない」など——が、どれも簡単に破られていることは誰もが知っているだろう。にもかかわらず、「会話で一度に話すのは一人」というルールはそれとは違っているようなのだ[5]。二つ目の理由は、この結果から、人間の心の重要な傾向をうかがい知れるということだ。人間はどうやら、コミュニケーションの際に、互いの役割をうまく交換できるし、しかも進んで交換しようとするらしい。そうして秩序正しく時間という資源を共有する。

自分の番を素早く察知する

先に引用した会話についての調査からもわかる通り、人は会話中に交代で話そうとするし、交代の時には隙間も重複も生じないように注意する。おそらく会話中の当事者は、交代の時の隙間はまったくないように感じているだろう。だが、図3・2をよく見て欲しい。グラフが最も高くなっているのは、「〇秒」のところではなく、それよりわずかに遅い、〇秒より二〇〇ミリ秒あとあたりだとわかるだろう。厳密には、ほんのわずかだけ沈黙になっている時間があるのだが、このくらいの短時間だと人間の耳にはまったく隙間がないように聞こえる。これは驚くほどのことではない。一秒の五分の一という時間は文字通り「瞬きをするより短い」時間だからだ[6]。

人は会話の時、自分の番が回ってきたら絶妙なタイミングで話し始められるよう常に待ち構えているということだ。話者は話を終える時に、必ず「もうすぐ終わる」とわかる信号を送るので、聴き手は自分の番が来ることを察知できる、という説もある。その信号が具体的にどういうものかについてもいくつかの意見がある。たとえば、声の高さを急激に下げることで知らせるという研究者もいれば、手振りや視線の動きで知らせるという研究者もいる。だが、この理論には一つ問題がある。信号が話の終わりに出るのだとしたら、それを察知してから準備して話し始めたのでは、時間が足りない。この方法だと、前の話者が話を終えてから、次の話者が話し始めるまでに二〇〇ミリ秒より多い時間がかかってしまうだろう――〇・五秒以上はかかると思われる――信号を察知してから脳内で準備をして、実際に話を始めるまでにはそれだけの時間を要するのだ。

人間が言葉を発する際に脳内で何が起きているかについては、何十年にもわたって緻密な研究が行われている。「話をしよう」と意図してから実際に言葉が出るまでの間にどのような作業が行われているのかが、かなりわかるようになっているのだ。心理言語学者のウィレム・レヴェルトはそうした研究をしている一人だ[7]。

レヴェルトらは、何種類もの心理テストをした。たとえば、被験者に画像を見せ、それが何の画像かを答えてもらう、というテストはその一つだ。そのテストの結果を分析することで、被験者は画像を見てからどのような段階を経て答えを口から発しているのか、また、各段階にはどのくらいの時間を要しているのかがわかった[8]。

被験者が馬の写真を見せられたとする。その被験者が「これは馬だ」と言うまでの間には、いくつものことが起きる。まず、被験者は、脳内から「馬」という概念を抽出しなくてはならない。これには一七五ミリ秒ほどの時間がかかる。次にすべきなのは、抽出した概念を表す「馬」という言葉を脳内の辞書から取り出すことだ。これには七五ミリ秒ほどを要する。さらにその次には、「馬」という単語の発音のしかたを知らねばならない。この作業自体も複数の段階に分かれる。まず、該当する音声的コードを探し出す。これはつまり、単語がどのような音の並びから構成されているかを知ることだ（この作業に約八〇ミリ秒を要する）。そして、音を組み合わせて音節を作り（一二五ミリ秒）、最後に、音声的エンコーディングを行い、「馬」という単語を実際に発音するための運動プログラムを実行する。すべての作業を合計すると、「話をしよう」と意図してから実際に言葉が出るまでの間には六〇〇ミリ秒ほどの時間を要することになる。

　では、これを話者交代の場面に当てはめてみよう[9]。話をしようと思ってから実際に話し始めるまでには通常、一秒の半分よりも長い時間を要するはずだ。しかし、現実の会話では、ほとんどの人が、相手が話し終わってから平均で一秒の五分の一ほどの時間で話し始めている。相手が話し終えるよりもかなり前のタイミングから準備に入っていないとそれは無理だろう。すでに見てきた通り、話者交代の時に相手がまだ話し終わっていないのに話し始める人はほとんどいないし、反対に相手の話が終わってから長い間を空ける人も少ない。相手が話を終えることを随分前の段階で察知しているのでなければ、不可能なことだ。

話の終わりが予測しにくい人

先に触れた一九七四年のサックスらの論文では、この、相手が話を終えることを事前に察知する能力に言及しており、この能力を「プロジェクション」と呼んでいる。自由な会話の中で、人は会話の相手がいつ話を終えるか予測できる。しかも、予測をするのは相当、早い時点だ。そうでないと話し始める前の準備が間に合わない。隙間も重複も作らずに話者の交代をするにはその能力がどうしても必要である。だが、予測が必要だとして、どのような情報を手がかりにして予測をしているのだろうか。その候補はいくつか考えられる。

一つは韻律（プロソディー）である。話す時の抑揚、調子、強勢、音の長さ、リズムなどを指す。韻律の変化が、「話が間もなく終わる」という合図になるということだ。合図になり得る韻律変化は主に次の三種類になる。

1. 基本的な周波数、つまり声の高さ（単位：ヘルツ）
2. 音の持続時間（単位：ミリ秒）
3. 声の振幅、つまり大きさ（単位：デシベル）

心理学者のスターキー・ダンカンは、一九七四年の論文で何種類もの会話における「話者交代の手がかり」を提示している。[10] そのうちの三つは、韻律に関するものだ。

1. 声の高さが通常のレベル（その人の典型的な声の高さ）を大きく逸脱する。

2．文の最後の音節が長く伸ばされる。
3．声が低くなる、あるいは小さくなる。

マーガレット・サッチャーがイギリスの首相だった頃、ジャーナリストにインタビューを受けると、会話がぎこちないものになることが多かった。サッチャーがまだ話している途中で遮られてしまうことが頻繁にあったのだ。心理学者のジェフリー・ビーティー、アン・カトラー、マーク・ピアソンは、一九八二年にその理由を突き止めるための調査をした[11]。サッチャーのイントネーションのパターンが普通とは違うことは調査の前からわかっていた。そこで、そのイントネーションのパターンが、話を途中で遮られる原因になっていないか細かく調べることにした。

まず、わかったのは、ジャーナリストたち自身は、サッチャーの話を途中で遮ろうなどとは思っていなかったことだ。にもかかわらず、サッチャーが話を締めくくろうとしたタイミングでジャーナリストが次の質問を始めてしまうことがよくあった。すぐあとにジャーナリストはサッチャーの話がまだ終わっていなかったことに気づく。聴いていると、ジャーナリストがやたらにサッチャーの話を邪魔しているように感じてしまう。ビーティーらは、サッチャーの話の音声分析をし、彼女がインタビュアーたちとは少し違ったルールで話をしていることを発見した。サッチャーのイントネーションには、ある特定のフレーズの終わりに急激に下降する特徴があった。これが相手にとっては「私が話す番はもうすぐ終わる」という信号になってしまっていたのだ。だが、実際にはサッチャーにはまだ言いたいことがあり、話は終わらない。

例をあげよう。デニス・タオイーによるインタビューだ。タオイーもやはり、サッチャーの話が終わっていない時点で話し始めてしまっている。

1. **サッチャー**：ポケットのお金があれば、あなたは（少し沈黙）そのお金を、付加価値税のかかる物を買うのに使う（少し沈黙）かどうかを選ぶことができるでしょう
2. **タオイー**：［だとすれば――
3. **サッチャー**：［が、生活必需品に関しては、選択の余地がありません。
4. **タオイー**：今、付加価値税について少し触れられましたが……

2と3の角括弧《かくかっこ》（［）は、この二行の言葉が重複したことを意味する。2で、インタビュアーは自分の番だと思って話し始めるのだが、サッチャーはそのまま1の続きを話している。重複に気づいたタオイーは慌てて話すのをやめ、サッチャーが話せるようにする。サッチャーの話がいったん終わった4ではじめて、タオイーは話し始めることができる。2で始めた、すぐにやめた話を続行できるのだ。

このような重複が起きるのは、一方の話者が会話を支配しようとした場合、あるいは話者交代の合図を一方の話者が読み違えた場合だとビーティーらは主張する。ビーティーらは、サッチャーの声の高さや大きさがインタビュー中、どのように変化したかを調べた。タオイーによるサッチャーへのインタビューの録音音声から、一文以上の長さの四〇のサンプルを抽出して精査したのだ。その際には、各サンプルを一定以上の数の被験者に提示し、「話者は自分の話

をここで終えていると感じるか」を尋ねた。話している映像と音声を両方提示した場合もあれば、音声のみを提示した場合、また文字起こしした言葉のみを提示した場合もあった。ここで私たちが注目したいのは、もちろん、サッチャーの話した言葉の音声のみである。音声がどういう信号を発していたかが重要だ。

被験者が「話は終わった」と感じた場合は、その判断は正しく、実際に話が終わっていることが多かった。また、サッチャーが長く話しているが、話は完了していないサンプルを聴かされた場合、被験者は七〇パーセント近い確率で、話が完了していないことを正しく言い当てることができた。いずれの場合でも、被験者は、音声の何らかの要素を手がかりにして、偶然よりも高い確率で話が終わっているか否かを言い当てていた。インタビューの文脈についての情報はほとんど与えられていないのにもかかわらず、そういう判断ができたのである。だが、インタビュー中に話者の重複を起こした箇所――サッチャーはまだ話を続けているにもかかわらず、インタビュアーが別のことを話し始めてしまった箇所――を聴かされた被験者は、半数超が、実際には終わっていないサッチャーの話を「終わった」と判断してしまった。ビーティーらは、この結果から、インタビュアーは決してサッチャーの話を故意に遮ったわけではなく、本当に話が終わったと判断した――被験者たちの多くと同じということだ――のではないかと考えるようになった。

サッチャーの話し方のいったい何を手がかりにして、実際にはまだ終わらない話を「終わりそう」と判断したのか。ビーティーらはそれを調べた。まず気づいたのは、サッチャーの話には、明らかに声の高さが急激に下がる箇所があるということだ。録音音声の各サンプルに関して、彼らは二つのことを調べた。一つは、声の高さの降下に要した時間がどのくらいかということ、もう一つは、降下の程度が正確にどのくらいかということだ。

声の高さの降下に要した時間を調べると、話者の重複が起きた時と、そうでなかった時とでは大きな違いがあることがわかった。重複が起きた場合には、降下の急激さ度合いが、起きなかった場合よりも大きくなっていたのだ。重複が起きた場合に比べ、起きなかった場合には、声の高さの降下に要した時間が二倍になっていた。つまり、インタビュアーは、声の高さの降下に要した時間を手がかりに、「話が終わる」と判断していたということだ。インタビュアーの話の遮り方を見る限り、その説明で間違いないようにも思える。

降下の程度を計測してわかったのは、話者の重複が起きた時（平均で一六七ヘルツの降下）、起きなかった時（平均で一六一ヘルツの降下）とであまり違いは見られなかったということだ。どちらも、サッチャーの話が本当に終わった時の降下度合い（平均で一四一ヘルツの降下）とは大きく違っていたにもかかわらずそういう結果になった。

話者交代に関する問題を引き起こす時、サッチャーは、同時に矛盾した信号を聴き手に向かって発していた。インタビュアー（ビーティーらの実験の被験者と同様）は、話しているサッチャーの声の高さの降下にどのくらいの時間を要するかを聴いていた。サッチャーの声の高さが急激に下がるのを察知すると、インタビュアーは話し始めたが、すぐ後に自分が相手の話を遮っていたとわかった。声の高さの降下速度は、サッチャーの発していた信号ではなかった。サッチャーは、自分の話が終わることを、声を特定の高さにするという別の信号で伝えていた。サッチャーはこの点については一貫していた。声の高さの降下速度に関しては一貫していなくても、特定の高さの声で話を終えるのは常に同じだった。この件に関しては、サッチャーの送った信号が適切でなかったとも、タオイーが誤った信号に反応してしまったとも言える。いずれにしても、二人の人が、違ったルールを基に会話していたことが問題の原因になっていたことは間違いないだろう。

手がかりは声の高さか？

現在では、録音した音声のデジタル操作が可能なので、以前よりもさらにきめの細かい研究が可能になっている。少し前にはわからなかった信号を見つけ出すこともできるようになった。実際、J・P・ド・ルイター、ホルガー・ミッテラーとともに実施した調査で私は、コンピュータを使って音声を操作し、様々な状況下での会話から相手への信号を抽出し、その特徴を体系的に分析している。(12)私たちは、防音ブースの中での友人どうしのくだけた会話（オランダ語）を録音した。一人一人の話者の言葉は個別に録音している。こうしておけば、一方がもう一方の話を遮った場合、つまり話者の重複が起きた場合でも、それぞれの音声を個別に再生することができる。

私たちは実験の際、被験者となった人たちに手短に事前説明をした。そして、話者の話がもうすぐ終わりそうだと感じた時には、できるだけ早くボタンを押すように頼んだ。人間の反応速度は遅く、たとえば、聞こえている音が止んだらボタンを押すよう指示したとしても、かなりの時間がかかることがわかっている。私たちがホワイトノイズを被験者に聞かせ、止んだらすぐにボタンを押すよう指示した時にもやはりかなりの時間を要していた。平均すると、ホワイトノイズが止んでから、指がボタンを押すまでの間には一秒半近くの時間がかかっていた。しかし、ごく普通の会話での人の話の録音を聞かせた場合には、反応速度がまったく変わる。私たちの実験では、平均すると、被験者は話の終わりから二〇〇ミリ秒以内にボタンを押していた。ホワイトノイズが止んでからボタンを押した場合に比べ、七分の一の時間で済んだということだ。すでに見てきた通り、二〇〇ミリ秒とは、まさに会話中の話者交代の時に生じる時間的な隙間の平均的な長さである。

私たちは録音した自然な会話の音声をデジタル操作し、声の高さが変化しないバージョンを作った。コンピュータ・プログラムを使って声の高さを人工的に平板化したのだ。だが、その他の言語学的情報は何も変えずにそのまま残した——単語は元のままですべて明瞭に聞こえるようにしたし、声の大きさの変化や声を伸ばす長さも変化させなかった。それでわかったのは、声の高さを平板化しても、話が終わってから被験者がボタンを押すまでにかかる二〇〇ミリ秒という時間の長さには変化がないということだった。

私たちは他に、デジタル処理によって、会話音声の「単語がわからないバージョン」も作ってみた。フィルターをかけることで音声を不明瞭にし、どのような単語が使われているのかわからなくしたのだ。単語がわからないため、被験者は当然、話の内容もまったくわからない。だが、このバージョンでも、韻律（プロソディー）に関する情報はすべて残すようにした。声の高さの変化パターンも、声の大きさや声を伸ばす長さの変化パターンもわかる。これは、ホテルの部屋の壁越しに隣の人の会話を聴いているような状態と言ってもいいだろう。このバージョンを聴かせた場合、被験者の「話の終わり」の察知能力は低下した。話が終わってからボタンを押すまでにかかる時間は二倍にもなった。話者が話を終えてから被験者の指がボタンを押すまでに一秒の半分近くの時間を要するようになったのである（しかし、これでも、ホワイトノイズが止んでからボタンを押すまでの時間よりははるかに短いことに注意）。

この結果からわかるのは、声の高さ自体は、話の終わりを見極める上で不可欠な信号でもないし、それだけでは十分な信号にもなりえないということだ。だが、どうやら、単独で話の終わりを見極められるような信号など一つもないと考えるのが妥当らしい(13)。

文法も手がかりなのか

すでに触れたハーヴェイ・サックスらの先駆的な論文によれば、話の終わりを見極めるための特に重要な手がかりになっているのは、話者の発する言葉の文法構造のようだ。例をあげてみよう。

1. He's a student
2. He's a student at Radboud University
3. He's a
4. He's a student at

普通に考えれば、1と2は文として成立しているが、3と4はそうではないとわかるだろう。

心理学者のサラ・ボーゲルスとフランシスコ・トレイラは、相手の話が実際にはまだ終わっていないにもかかわらず、終わりそうだと感じてしまう理由を調べた[14]。二人の研究でわかったのは、話が終わるという信号は、話者の発する音声の複数の要素から成るが、それがすべてではなく、話者の発する言葉の文法構造も信号の重要な一部になるということだ。ボーゲルスとトレイラの研究では、文法構造だけでは十分な信号にはなり得ないことに注目した[15]。そうでなければ、先の例の2の言葉を聞いた人は、"Student"という単語が聞こえた時点で必ず、「もう話は終わりだな」と判断してしまうはずである。つまり、この時点で、サッチャーのインタビュアーと同じように相手の言葉を遮って話し始める人が多くなるということだ。

ボーゲルスとトレイラは、被験者に台本を渡し、そこに書かれた質問を別の被験者に向かって読み上げさせた。つまり、インタビューのようなことをさせたわけだ（この実験で使われた言語はオランダ語だった）。台本に書かれた質問の中には、たとえば次のような短いものもあった（ここでは英語にしている）。

短い質問：*So you're a student?*

この質問は単純なＹｅｓかＮｏの答えを求めるものだ。文字で書かれた質問の文法構造だけを見れば、この質問は完結していると判断できる。しかし、同じ質問を耳で聞いた場合はどうだろうか。しかも、質問にふさわしく語尾が上がる口調で読まれなかったとしたら。質問がこれで完結しているかどうか判断が難しいのではないだろうか。

台本には、次のような長い質問もあった。

長い質問：*So you're a student at Radboud University?*

この質問は、聴き手が「完結した」と感じやすいポイントが二つになるように作られている。一つ目は"Student"のところである。これは、先の短い質問の文末と同じだ。二つ目のポイントは"University"のところだ。この質問は、聴き手にとっては、「どこで終わるか」が曖昧なものだと言えるだろう。"So you're a student"で終わっても文法的には間違いではない。しかし、実際にはそのあとも質問の文は続くのだ。

ボーゲルスとトレイラは、文字で書かれる文と口で話される文とはまったく違うと言っている。文字で書かれる言語には、話し言葉であれば提示されるはずの多くの情報がない。中でも、ビーティーらがサッチャーのインタビューを題材に研究したような、声の高さ、大きさ、伸ばす長さといった韻律（プロソディー）に関わる情報がなくなる影響は大きい。

ボーゲルスとトレイラは、被験者の質問と応答を録音し、この二つの質問への応答が実際にどのようになっているかを調べた。二つの質問は、"So you're a student"の部分までは構成する単語がまったく同じである。しかし、録音した音声を調べると、構成する単語はまったく同じにもかかわらず、短い質問の"So you're a student"と、長い質問の中の"So you're a student"とでは、被験者の反応はまったく異なることがわかった。そこで本当に文が終わる場合と、まだ文が続く場合とで反応が違うということだ。短い質問に対し、被験者が"Yes"と答えた場合、そのタイミングは、質問文の終わりのすぐあとだった。これは、応答者が、文がいつ終わるかを事前に正しく予測していたことを示す（質問に対する応答のタイミングを、目で見てわかりやすいようにすると、次のようになるだろう）。

シナリオ1：

A. *So you're a student?*（短い質問）
B. *Yes.*

長い質問を聞いた被験者が"Yes"と答えた場合もやはり、そのタイミングは質問文の終わりのすぐあとだった。

シナリオ2：

A. *So you're a student at Radboud University?*（長い質問）
B. *Yes.*

長い質問を聞いた被験者が、誤って"Student"の時点で"Yes"と言ってしまうことはなかった。つまり、次のようにうっかり、質問にかぶせて答えを言ってしまうことはなかったということだ。

シナリオ3：

A．*So you're a student at Radboud University?*（長い質問）
B．　　　　　　*Yes.*

長い質問の場合には、"Student"のあとも文が続くことを、聴き手は察知していたことになる。だからシナリオ3のような現象は起きないのだ。この結果からボーゲルスとトレイラは、短い質問と長い質問とでは"So you're a student"の言い方に何らかの違いがあり、聴き手はその違いを手がかりに文の終わりのタイミングを判断していたのだろうと類推した。

短い質問の場合は、その発音の中に、"Student"で文が終わることを聴き手に知らせる手がかりがあるはずだ。一方、長い質問の場合は、逆に"Student"では文が終わらないことを聴き手に知らせる手がかりがあるはずだろう。それを確かめるため、ボーゲルスとトレイラは、さらに実験をした。その実験では、録音した質問を切断する、つなぎ合わせるといった操作をした。まず、長い質問から"So you're a student"の部分だけを切り取って、短い質問の"So you're a student"と入れ替えてみた。

［*So you're a student*］ここまでを短い質問と入れ替える［*at Radboud University?*］

二人は、二種類の長い質問――元のままの長い質問と、前半を短い質問と入れ替えた長い質問――を被験者に聴かせ、「文が終わる」と感じた時点でボタンを押すよう指示した。元のままの長い質問を聴かせた場合には、被験者（三〇名）のうち、"Student"の直後にボタンを押した人は一人もいなかった。

シナリオ4（先のシナリオ2と基本的に同じ）

A. *So you're a student at Radboud University?*（長い質問）

B.　　　　*0%　　　　*100%

しかし、長い質問の前半部分を短い質問に入れ替えたものを聴かせた場合の結果は次のようになった。[16]

シナリオ5（シナリオ3に近い）

A. ［*So you're a student*］［*at Radboud University?*］（長い質問の前半を入れ替えた）

B.　　　　*32%　　　　*68%

この場合、応答者の三分の一ほどが誤って、質問がまだ続いている途中でボタンを押してしまった。この結果から、やはり短い質問の中には、"Student"で文が終わることを知らせる手がかりが何かあるのだと推測される。この情報が単に質問の文法構造のみによってもたらされるのだとしたら、質問の前半を入れ替えても入れ替えなくても、"Student"の直後にボタンを押す人が多くなっていたはずである。

ボーゲルスとトレイラは、手がかりとなった情報が具体的に何なのかを突き止めようとした。

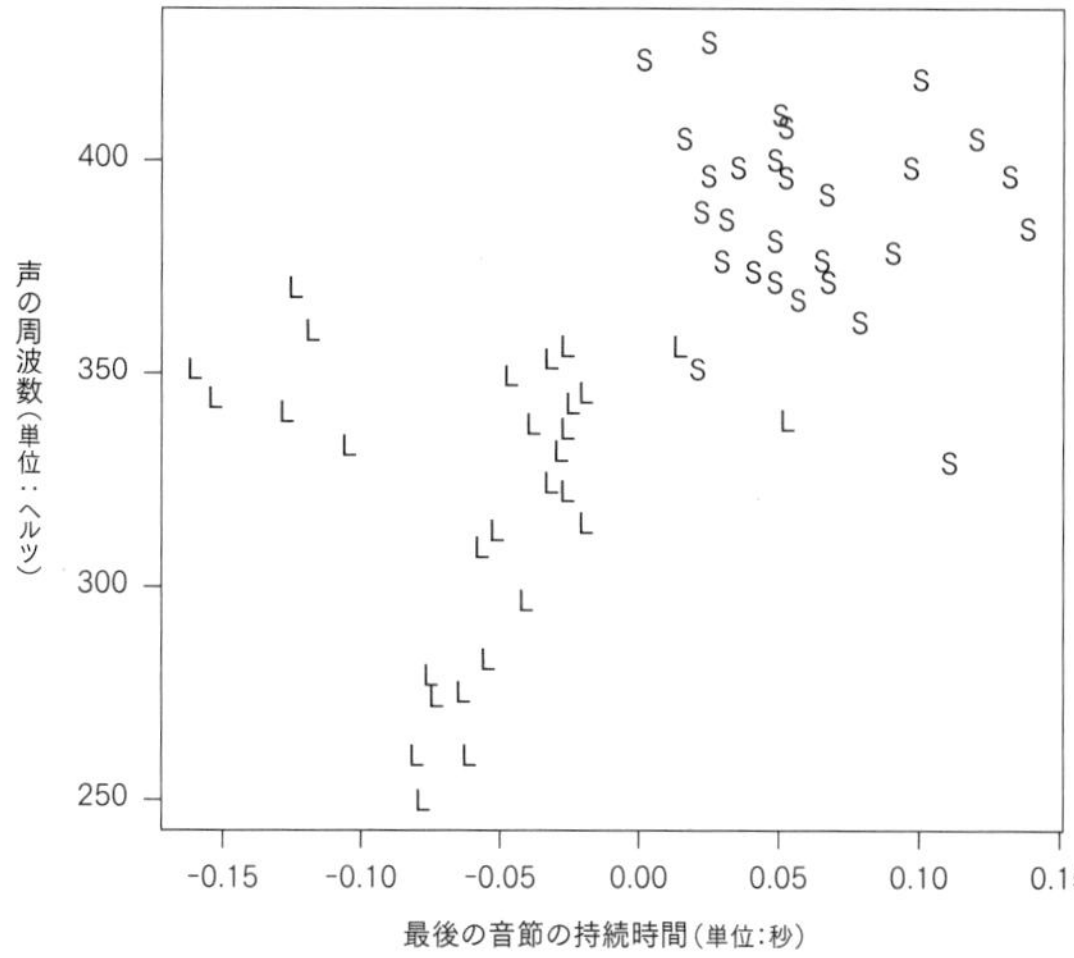

図3.4　"student"という単語の最終音節の周波数と持続時間。グラフ中の"L"、"S"は、"student"が長い質問のものか、短い質問のものかを示す。短い質問"S"の場合、"student"の最終音節は、質問文の最終音節でもあるが、長い質問"L"の場合、"student"の最終音節は質問文の途中の音節でしかない。短い質問の場合、"student"の最終音節は、長い質問の場合よりも、長く伸ばされ、周波数も高くなる傾向がある。
出典：ボーゲルス、トレイラの2015年の論文、51ページ

そこでまず、"Student"という単語の発音の違いに注目することにした。"Student"が文末に来る場合とそうでない場合とで、発音にどういう違いがあるかを知ろうとしたのだ。わかったのは、両者の発音には二つの明確な違いがあるということだ（図3・4を参照）。一つは声の高さの違いだ。短い質問では、"Student"という単語を発音する際、声の高さはほぼ常に三六〇ヘルツを上回っていた。しかし、長い質問では、同じ単語を発音する時の声の高さが、総じてそれ

よりも低くなっていた。二つ目は、"Student"という単語の最後の音節を発音するのに要する時間の長さの違いである。短い質問では、長い質問に比べ、その時間が長くなっていた。

こうした結果から、聴き手は話し手がいつ話を終えるかを前もってかなり正確に予測できることがわかる。現在の話者の話がまもなく終わると事前に察知すると、次は自分が話したいと思っている聴き手は、まだ相手の話が続いている間に、話を始める準備を整えることができる。そのおかげで、実際に話し始める時には、相手の話が終わってから間を空けすぎることも、相手の話を遮ることもせずに済む。

日本人の応答は世界一速い？

人間が話者交代の際に厳密にタイミングを測っていることを示す証拠をここまでにいくつも提示してきたが、いずれもヨーロッパ言語を対象にした研究で得られた証拠だった。会話のテンポは、その人がどこで生まれ育ち、どういう言語を使うかで異なってくるとよく言われる。たとえば、スカンジナビア半島の自然豊かな地域で暮らす人たちの話すテンポは非常に遅いという。フィンランド南部の「ハメ」という地方には、こういうジョークがある。「ハメの二人の兄弟が、ある朝、仕事に向かっていた。一方が『俺、ここでナイフなくしたんだよね』と言う。夜、家に戻るともう一方が『ナイフなくしたんだって？』と言う」[17]。また、人類学者のカール・ライスマンもスウェーデン北部について同様のことを話している。家に誰かが訪ねてきた時の応対の話だ。「私たちはまず、客にコーヒーは飲むかと尋ねる。すると何分か沈黙があってから、『飲む』と返答があるんだ。相手に何かを尋ねたいことがある時は、恐る恐る尋ねる。尋ねるとしばらく沈黙があって、ようやく『はい』、『いいえ』という答えが返って来るんだ[18]」

かと思えば、これとは正反対の土地もある。カリブ海のアンティグア島では、人々の会話はまったくの無秩序のように感じられるという。誰もが相手がまだ話していてもお構いなしに話し始めるからだ[19]。逆にニューヨーク、マンハッタンのミッドタウンでは、他人の話に割り込む人は誰もいないと言われる[20]。

世界各地を旅する人は、そういうステレオタイプをよく知っているし、正しいと信じている人も多い。会話のテンポは地域によってまったく違うという話にも賛成する人が多いだろう。それも確かに真実ではある。ただし、一片の真実にすぎない。言語に関して私たちが抱く直感はどれほど強くても誤っていることが多い。科学の研究に必要なのは、まず直感を疑い、事実を確かめることだ。

有名なステレオタイプはすべて、私たち研究者にとって真偽を確かめるべき仮説になり得る。タニヤ・スティヴァース、スティーブン・レヴィンソンらとの共同研究プロジェクトで私は、言語による会話のテンポの違いを体系的に調べることになった[21]。そのためにまず、研究チームのメンバーは、世界各地、具体的には、イタリア、ナミビア、メキシコ、ラオス、デンマーク、韓国、アメリカ、オランダ、日本、パプアニューギニアなどへと赴いた。メンバーはそれぞれ、赴いた土地の言語や文化をよく知る人たち、その土地独自の言語的、文化的規範について何年もかけて学んだ人たちだった。私たちが調査、比較の対象としたのは、イェレ語（パプアニューギニアの言語）、ツェルタル語（メキシコ高地の言語）、アクホエ・ハイロム語（ナミビアの言語)、ラオ語(ラオスの言語)、韓国語、日本語、イタリア語、デンマーク語、オランダ語、英語などだ。

会話の際の応答のタイミングは、言語、文化によってどう変わるのか、という問いは一見、簡単に思える。しかし、この問いに答えるためには、まず何か比較可能なものを見つけ、それについてのデータを集めなければならない。データを集めるとは、つまり、実際の会話を録音することである。ほぼ同じ状況で様々な言語の会話を録音するのだ。私たちは、家の中、あるいは村の中での会話ばかりを録音した。互いのことをよく知っている家族や近隣の人どうしの会話だけに対象を絞ったということである。形式ばった場での会話から集めたデータを使っても、私たちの希望通りの比較ができないからだ。会議や授業、儀式、医師の診察、裁判などでの会話は対象にならないということだ。この種の状況での会話は、その地域の文化的な習慣によって大きく変化することが知られている。たとえば、村の会議の場合、どのタイミングで誰が話をするかに関する、その村だけの特別なルールが存在する可能性もある。そこで私たちは、主に家庭内でのくだけた会話を対象にすることにしたのだ。それが言語間で直接、比較するものとしては最も適切だと考えた。

プロジェクトに参加した研究者たちはまずそれぞれに、対象となった種類のくだけた会話を映像も込みで録音していった。会話の録音そのものは簡単な作業だし、時間もかからない。当たり前だが、一時間の会話なら一時間で録音も終わる。しかし、本当の仕事は、録音が終わってから始まる。まず、研究者は、各言語のネイティブ・スピーカーたちと協力して、会話を一言一句すべて文字に書き起こさなくてはならない。そして、どういう話がされているかを正確に理解する必要がある。大ざっぱな書き起こしでいいのならさほど時間はかからないだろうが、特にその言語が研究者にとっての母語ではなく、書き起こしも細かいところまで正確でなければならないとすれば、必然的に長い時間を要してしまう。録音された一分の会話を文字に書き起こし、理解するまで、だいたい一時間はかかるとみて間違いないだろう。つまり、一時間の会話なら、録音は一時間で終わるが、書き起こしと理解には最低でも六〇時間はかかるということだ。そのため、一見、簡単に見える問いに答えるための調査作業そのものを始める前に、研究者たちは何年もの時間をかけて大変な作業をしなくてはならなかった。

十分な量の録音と書き起こしを集めた後、どういう種類の会話で応答時間を比較するかを決定した。私たちが選んだのは、Ｙｅｓ／Ｎｏで答えられる種類の質問だった。これならあらゆる言語に存在しているし、出てくる頻度も非常に高い。ほとんどは単純で気軽な質問だ。"Is he a goalkeeper?（彼はゴールキーパーですか？）"、"Did he go to work?（彼は出勤したの？）"、"Is the big knife over there?（そこに大きなナイフはある？）"、"Have you been to Birkholm?（ビルクホルムに行ったことはある？）"、"Should I just print it out in advance?（先にプリントアウトしておいた方がいいかな？）"というような質問である。この研究で使用した、Ｙｅｓ／Ｎｏで答えられる質問と答えの組み合わせは、合計で約一五〇〇個にもなった。そのそれぞれについて、私たちは、質問の終わりから応答の始まりまでの時間を計測した。図３・５はその結果をまとめたものである。

この図には、一〇の言語での計測結果を示してある。横軸の〇のところには、縦の点線がある。この場合、〇は、質問と応答の間隔がなく、重複もないことを意味する。どの言語に関し

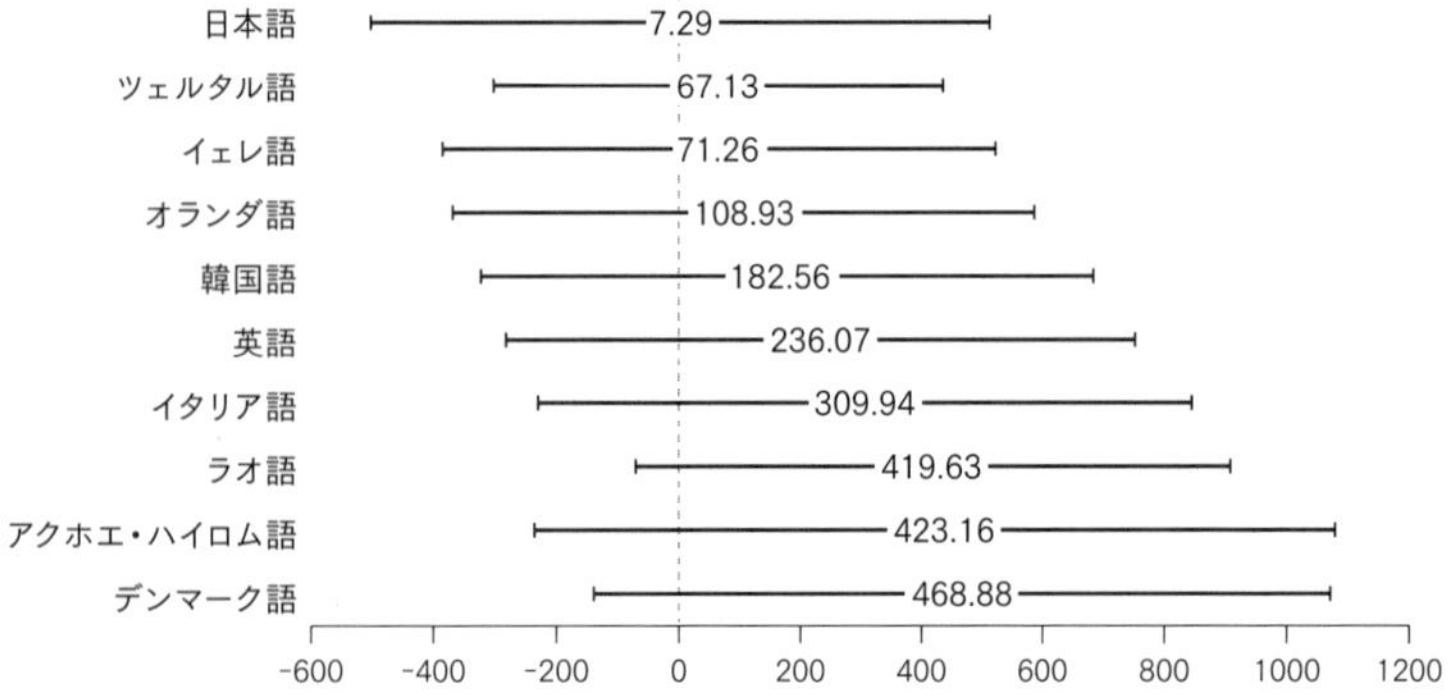

図3.5　質問から応答までの間の経過時間（単位：ミリ秒、標準偏差±1）。これを見ると、どの言語でも応答までの経過時間の平均値は、500ミリ秒は下回っているとわかる。ただし、言語により時間の長さは少しずつ違っている。
出典：スティヴァースらの2009年の論文、10589ページ

ても、質問の終わりから応答の始まりまでに経過した時間の平均値を求めてある（単位：ミリ秒）。英語の場合、応答時間の平均値は二三六ミリ秒で、この一〇言語の中ではちょうど中間に位置する。この数値は、研究対象となった全言語でのＹｅｓ／Ｎｏへの応答時間の平均値（二〇七ミリ秒）に近い。また、話者交代時の応答時間の全言語平均値にも近い。この両者の数値はどの言語でも一貫して近い。図を見ると、各言語の数値が英語とどのように違うかがわかる。この中で最も応答にかかる時間が短いのが日本語だ。なんと質問から応答に要する時間がわずか七ミリ秒となっている。それに対し、最も応答が遅いデンマーク語は、応答時間が一秒の半分近くにもなる。

　デンマーク語でこのような結果が得られたことは、北欧の人は他の地域の人よりも会話での反応が遅いという通説の証拠にな

るようにも思える。確かに、デンマークの人たちは、私たちの研究では、一貫して英語圏の人たちよりも質問への応答に時間がかかるという傾向が見られた。しかし、ここで注意すべきなのは、差異の大きさだ。デンマーク人の応答が遅いといっても、英語話者の平均との差は四分の一秒にも満たない。これでわかるのは、この程度の差異でも察知するほど、人間は応答の遅れに敏感だということだろう。だが、通説で言われているほど、デンマーク人の反応が遅いわけではないこともわかる。実際には、他の言語の話者と同様、デンマーク人の反応も非常に速いと言える。

会話においては、応答のタイミングが期待よりも一秒の何分の一かでも遅れたら大変な遅れに感じられることもある。外国人と話した時に、期待よりも反応が四分の一秒遅いと、それをとても大きな遅れに感じる可能性はある。そのせいで、ある国や地域の人の反応の遅さを誇張して話す人がいるのかもしれない。次の章で詳しく触れるが、英語圏では、反応が期待よりも〇・五秒遅れると、「この人は何かためらっているのか」と思う人が増える。

私の研究の結果、「ちょうどいい」と感じる応答時間は、文化圏、言語圏によって少しずつ違っていることがわかった。パプアニューギニアのロッセル島でのイェレ語の会話では、質問に一〇分の一秒以内に応答しないとちょうどいいと思ってはもらえない。一方、メコン川のほとりでのラオ語の会話なら、それよりは三分の一秒ほど長く待ってもらえる。このように細かく見ると言語による違いはある。だが、もっと「引き」で見てみると、会話における人々の行動は、世界中のどこでも非常に似通っているとわかる。妥当とされる応答時間は、世界中のどこでも質問の終わりから〇・五秒までという範囲内に収まっている。目標としているであろうタイミングは、場所によって微妙に異なってはいるが、総じて言えばほぼ同じだ。

人間が質問への応答のタイミングを常に正確に同じにできるのは、相手が発する様々な手がかりから適切な応答のタイミングを予測する能力を持っていて、しかもほとんどの人が積極的にそのタイミングを予測する意思を持っているということだ。私たちの研究によって、適切なタイミングは言語や文化によって微妙に違っていることがわかった。だが、次の章で詳しく触れるが、会話を支配する重要な原理は、世界中どこでも共通している。

人間以外の動物の話者交代

人間の行動を観察していて、何か皆に共通する普遍的な原理が見つかったとすれば、それは人間という種の進化に関わっているのではないか、と考えるのはごく自然なことだ。また、人間以外の他の動物にも同じような原理はあるのか、と問うのも自然なことだろう。

マーモセットというサルには、「話者交代」と呼べるようなコミュニケーション形態が見られると言われる[22]。マーモセットは、「フィーコール」と呼ばれるホイッスルのような高い信号音を出し、それによって遠くにいる仲間とコミュニケーションをする。神経科学者のダニエル・タカハシの研究グループは、マーモセットの観察をし、声が聞こえる距離にいる二匹のマーモセットの間で「話者交代」に類する行動が見られることを発見した。一方のマーモセットがフィーコールをすると、もう一方は、それが終わるのを待ってからフィーコールをし返す。それがしばらくの間、繰り返されるのだ。図3・6は、観察結果の一部である。話者交代の際には、何秒かの沈黙があるのがわかるだろう。

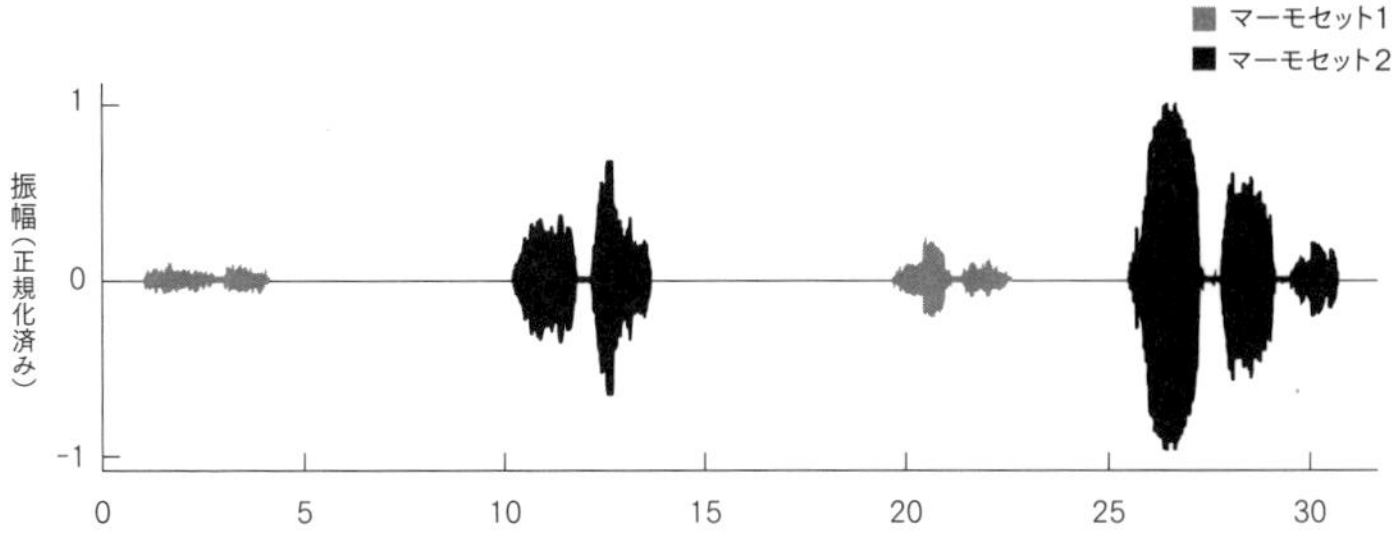

図3.6　マーモセットのフィーコール交換の波形。x軸は経過時間（単位：秒）を表す。y軸はフィーコールの振幅を表す。グレーはマーモセット1、黒はマーモセット2のフィーコールだ。
出典：タカハシらの2013年の論文、2163ページ

タカハシらは、マーモセットのこの行動は、人間の会話中の話者交代に似ていると言う。人間と同様に、話者の重複を避けようとしているというのだ。しかし、マーモセットの「話者交代」と人間のそれとの間には大きな違いがある。まず明らかに違うのは、交代の際に空く時間的な隙間の大きさだ。マーモセットの場合、隙間はほぼ一貫して五〜六秒間である[23]。人間の話者交代時に空く隙間の約二五倍の長さだ。マーモセットの時間に対する感覚は、当然のことながら私たち人間とは少し違っているだろう（同じ時間が経過しても、私たちとは違った長さに感じている可能性が高い[24]）。タカハシらは、マーモセットのこの隙間時間を「待ち時間」だと考えている。一匹のマーモセットがフィーコールをすると、もう一匹のマーモセットは黙って待ち、五秒間ほど経つと自分もフィーコールをする。この待ち時間は、人間の会話で話者交代の時に生じる時間的隙間とは違っている。こちらの隙間はごく短い。相手の話の終わりが近いことを前もって察知する能力がなけれ

ば、これほど短い間隔で話者交代をすることはできない。

人間は会話時の話者交代で、その遷移時間を最小限にしようとする。ただ、話者交代の際に話し始めるべきタイミングがあらかじめ定められていて、それに合わせようとしているわけではない。定められたタイミングに合うよう調整しているわけではないのだ。話し始めるべきタイミングにはある程度の幅がある。ある範囲内に収まっていれば、適切なタイミングとみなされる。ただこれは、単に決まったタイミングで話し始めることを目指して調整するよりも実は難しいことだ。あとで詳しく述べるが、人間には、自分が話し始めるタイミングが早すぎるのか、ちょうどいいのか、それとも遅すぎるのかを、些細な手がかりを基に判断する精緻な能力が備わっている。

第四章　その一秒間が重要

会話中の沈黙が一秒を超えると、会話に問題があると感じる。応答の遅れは、それ自体で相手にメッセージを伝える意味を持っていた

自分が発言するタイミングを調整する能力、相手がまもなく話を終えるのを察知する能力は、いずれも人間が会話をする上で重要なものである。この能力のおかげで、人間は会話の際、相手が話を終えてから最小限の遅延で話し始めることができる。しかし、その能力があるのと、実際に相手の言葉に素早く応答するのとは別の話だ。

相手の話に割り込むためには、当然、素早い応答の能力は不可欠だろう。発言時間は限られた資源だ。急いで話し始めないと他人にその資源を奪われてしまうかもしれない。だから単に他人に発言時間を奪われないために素早く応答しているのだとも考えられる。だが、実際にはそうでないことが多い。現実の会話は二人で行われることが多いからだ。二人の会話ならば、

一方が何かを問いかけた時、それに答える人は一人しかいない。だから誰か別の人に発言時間を奪われる心配はない。ではなぜ、人はそれほど素早く応答しようとするのだろうか。

この問いへの答えを知る手がかりは、会話中、質問への応答に遅れた人に何が起きるかを見ると得られる。次の例を見て欲しい[1]。

1．A：そこの料理は美味しいの？
2．（1・7秒沈黙）
3．A：あんまり美味しくない？
4．B：まあね。――そうか――そうだね。私が答えないとね。

1でAの人物は、Yes／Noで答えられる質問をしている。ただ、この時は、通常の平均応答時間である二〇〇ミリ秒内に返答が得られず、長い沈黙がある。Bの人物が返事をしないからだ。ここで注目すべきはAの次の行動だ。Aはまったく同じ質問を繰り返すことはしない。再び同じ内容の質問をするのだが、言い方を変える。最初の質問は、中立的な言い方になっている。こういう尋ね方をする時、質問者は実はYesの答えを期待していることが多い。しかし、言い直しの質問はそれとは逆になっている。否定の言葉を含んだ、否定の答えをするのが自然に思える質問になったのだ。すると、今度は、すぐに答えが得られた。

この例では、応答の遅れが、「あなたの質問はYesの答えを誘導する偏ったものだと思う」と相手に伝える信号になっている。相手が特定の答えを期待しているとわかるため、それに反する返答はしにくくなったのだ。これで遅延の起きた理由は一応、説明できる。応答が遅れたことで、Bの答えはNoであると予測ができるので、Aは質問を、Noの返答がしやすい言い方に直している。この質問にBは遅れることなく応答している。

ではこの例はどうだろうか。[2]

1. A：途中でちょっとこちらに来てもらうっていうのはどうですか？
2. （沈黙）
3. A：時間ないですかね？
4. B：ないですね。こっちですることがあるので。

AはBに対し、車で移動中に自分のところに来て、乗せて行ってくれないか、と尋ねている。それに対し、Bは本来、応答するはずなのだが、沈黙が続いて応答がない。この場合も先の例と同様のことが起きている。Bの沈黙は、「私はその質問にYesと言うつもりはない」と伝える信号になっている。それを受けて、Aは、Bが頼みを拒否しやすい言い方で質問し直している。すると、Bは遅延なしで、「時間がないのでそちらに行くことはできない」と答えている。

この二つはいずれも、会話に「選好（preference）」というものが存在することを示す例である。選好は、ごく早い時代に人間の会話の分析を行った社会学者のハーヴェイ・サックス、アニタ・ポメランツが提唱した概念である。[3]ここで提示した二つの例では、質問に応答しないことが、「この質問に肯定的な応答をしたくない」という信号だと解釈された。一つ目の例では、質問はYes／Noで答えられるもので、中立的ではあるものの、Yesの答えを予期していることが相手に伝わっていた（同じYes／Noで答えられる質問でも「あなたは学生ですか？」などとは違っていたのだ）。二つ目の例では、質問は厳密には相手に頼みごとをするものになっており、Yesと答えて欲しいことは明らかだった。そのためNoとは言いづらく、代わりに沈黙することになった。

これらの二つの例では、会話に参加している人たちがどちらも社会性のあるふるまいをしていると言える。応答を遅延させた人は、相手の期待する応答はできないが、相手の意に沿わない応答をするよりは、無言でいる方が相手に与える印象は柔らかくなるだろうと思っているわけだ。また、応答してもらえず沈黙された側も、相手の意向を察してNoと答えやすい言い方で質問をし直している。つまり、会話に参加している人がどちらも会話を円滑なものにするために協力し合っているのだ。

二つの例はいずれも、二行目が沈黙になっているが、これは正確には、応答が「ない」のではなく、遅延が異常に長くなっていると考えるべきだ。どちらの場合も、質問をした側はもっと長く応答を待ち続けることは不可能ではなかったはずだ。だが、そうはせずに再び話し始める。本来はBの人物が話す番であり、当のBは話をしていないのに、Aが話し始めてしまうのだ。

質問の答えにかかる時間

質問をされた人が応答を遅らせることは珍しくないが、遅延がさほど長くなることはない。

質問者が待ちきれなくなってしまうか、早い段階で「待っていても応答はない」と判断するからだ。社会学者のゲイル・ジェファーソンは、英語での会話の一〇〇〇例を超える応答の遅延、あるいは沈黙について分析をした。それでわかったのは、わずかな例外を除き、また会話がよほど不調である場合を除き、会話者は沈黙が一秒を超えて続くのを放置しないということだ。ジェファーソンは「一秒は通常、会話における沈黙の最大持続時間である」と言っている。(4)

前章でも触れた一〇の言語を対象にした研究では、英語の場合、質問の終わりから応答が始まるまでの平均経過時間が四分の一秒を下回るという結果が得られた。この数字は、話者交代時に生じる遅延時間の平均値とほぼ同じである。総じて質問への応答は速い。ただし、分析の対象となった二〇〇余りの応答を細かく見ると、その所要時間にばらつきがあるとわかる。私たちの研究では、話者交代時の遅延時間は、±〇・五秒の範囲内に分布しているとわかっている。中には非常に速い応答もある。質問の終わりをかなり前の段階で察知して応答しているのだ。その結果、質問が終わるよりも四分の一秒ほど前に応答してしまっている例もある。つまり短い間だが、話者の重複が起きているということだ。一方、平均よりも遅い応答もある。質問の終わりから約八〇〇ミリ秒の沈黙のあとに始まる応答もある。このような違いはなぜ生じるのか。それを知るには、応答を一つずつよく調べる必要がある。まず、質問に対する応答をいくつかの種類に分けてみよう。

一方がＹｅｓ／Ｎｏで答えられる質問をした場合、もう一方はＹｅｓかＮｏでそれに応答することになる。どちらになるかは決まっていないが、ともかく通常は、どちらかの応答をする。たとえば、人物Ａが「ジョンから手紙来た？」と尋ねた場合、それに対する人物Ｂの応答は、

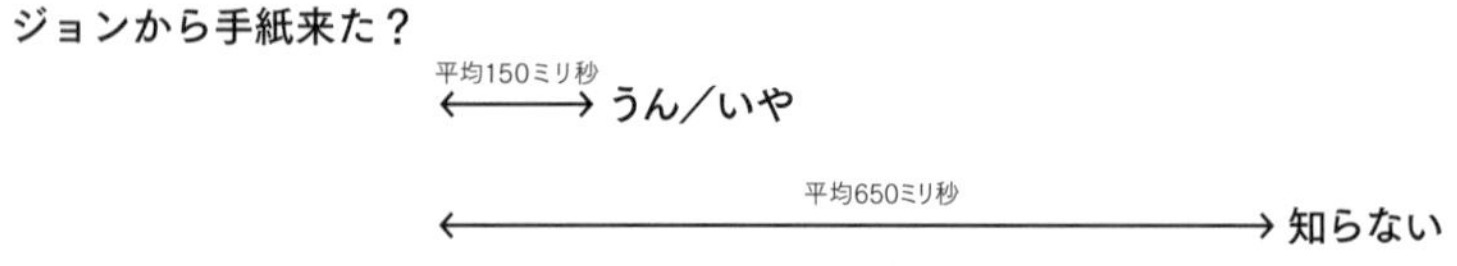

図4.1　質問に答えている応答と答えていない応答での遅延時間の違い

おそらく「うん」か「いや」になるだろう（もちろん、言い方は「ああ」、「いいや」、「まあね」、「いやいや」など様々に変わり得る）。Ｙｅｓ／Ｎｏ以外で答えるべき質問がなされた場合には、もちろんＹｅｓ／Ｎｏ以外の応答をすることになるが、この種の質問には必ずしも答えを出さなければならないわけではない。たとえば、何かの理由を問う質問がなされた場合、その理由を知らなければ答えようがない。答えを知らない場合には、「知らない」、「調べていない」などの応答をすることになるだろう。この二種類の応答——質問に答えている応答と答えていない応答——のタイミングを調べると、質問に答えている応答（Ｙｅｓ、Ｎｏの応答も含む）は、総じて全体の平均よりも早く応答が始まっているとわかった。だいたい、質問の終わりから一五〇ミリ秒後には応答が始まる。質問に答えていない種類の応答の場合は、全体の平均よりもはるかに遅く応答が始まる。質問の終わりからおよそ六五〇ミリ秒経ってから応答が始まるのだ（図４・１参照）。

　質問に答えない応答の方が遅くなる理由はおそらく二つあると考えられる。一つは認知処理に関わる理由だ。質問をされた人は、まず、自分は答えを知っているか否かを判断する。その判断は、答えを知っている場合の方が、知らない場合よりも早く終わると思われる。この判断にかかる時間が、応答の遅延につながっているということだ。

もう一つは、応答の遅さそのものが一種の信号になるという理由だ。質問に答えたいが、答えられない場合、回答者は意図的に応答を遅らせている可能性がある。応答に時間がかかれば、「私はためらっています」というメッセージが相手に伝わるからだ。これも先に触れた会話の「選好」に関わる現象だと考えられる。質問をする人は当たり前だが、答えを求めて質問をしている。だから、答えを提供できる応答以外は、相手の希望に沿うものではないということだ。

会話の参加者には、一般に互いに協力し合おうとする傾向がある。答えを知らないからといって何も応答をしないのは協力的な態度とは言えない。そこで答えを提供できなくても応答だけはしようとする。先の例のように、質問者がある答えを期待していることがわかるが、その答えができない時にあえてすぐに応答せず、沈黙することもある。しかし、ここでの例はそれとは違う。応答の遅延は長くても一秒を超えることはなく、標準的な遅延の範囲にとどまる。回答者は、遅くとも一秒以内に応答の義務を果たすのだが、わずかに応答を遅らせることで「自分は望まれているような応答はできない」ということを知らせるのだ。

相手の質問に答える応答にも、よく調べるとそれぞれにタイミングが違う二つの種類があるとわかった。一方は「肯定的な応答」、もう一方は「否定的な応答」だ。前者の応答の場合、遅延時間は平均で三五ミリ秒だ。後者の応答も遅延時間はごく短いが、平均六〇ミリ秒と前者の倍近くになる（図4・2を参照）。

この違いにも二つの理由があると考えられる。一つは、認知処理にかかる時間の違いだ。肯定的な応答をすべきと判断する方が、否定的な応答をすべきと判断するよりも時間が短くて済むのだと思われる。「ファースト・イエス効果」とでも呼ぶべき現象が起きているということ

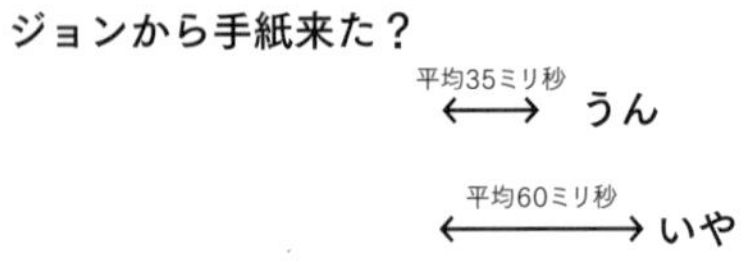

図4.2　肯定的な応答と否定的な応答の遅延時間の違い

だ。精神物理学の分野では、実際にそういう現象が起きる証拠とも言える実験結果が得られている。[5] それは被験者に同時に二つの色を見せ、両者の色が同じだった場合と違った場合とで別々のボタンを押してもらう、という実験だ。ボタンはできるだけ素早く押すように言っておく。すると、二つの色が同じだった場合の方が、速く正確にボタンを押せるという結果になる。色が同じだった場合、判断に要する時間が平均で四〇〇ミリ秒なのに対し、色が違った場合には判断に一〇〇ミリ秒ほど長くかかる。[6] 肯定的な回答をする判断は、おそらく色が同じという判断に近いと思われるので、否定的な回答をする判断よりも短い時間で済むのだろう。

もう一つは、応答の遅さが信号になっているという理由だ。ただ、背後にあるメカニズムは、質問に答えない応答に時間がかかるのとはまた違っている。この理由が成り立つとしたら、質問をする人間は通常「Ｙｅｓ」の回答を期待していて、「Ｎｏ」の回答はあまり予期していないことになる。もし、本当にそうなのだとしたら、質問に答えたいが答えられない場合に応答が遅れるのと基本的に理由は同じだと言えるだろう。Ｎｏという答えが相手の期待と違っているとわかっているので、答えが遅れるわけだ。

社会学者のタニヤ・スティヴァースは、アメリカ英語を対象にＹｅｓ

／Ｎｏで答えられる質問について調査をしたが、その結果、応答の実に四分の三近くがＹｅｓ（yep、uh-huh、無言のうなずきなど、Ｙｅｓと同等の応答も含む）だとわかった。(7) これは興味深い数字だろう。Ｙｅｓ／Ｎｏで答えられる質問なのだから、Ｙｅｓ、Ｎｏは半々なのではないかと普通は思ってしまうが、そうではないというのだ。これには二つの説明が考えられるが、どちらの説明も、人間はＹｅｓという答えを好むのではないか、という考えが基礎にある。

一つ目は、人間はＮｏと言うよりもＹｅｓと言う方が好きなので、本当はＮｏと言いたい時でもＹｅｓと言ってしまうことがあるのではないか、という説明である。確かに優柔不断で煮え切らない態度を取りがちな人はいるが、これだけでは、Ｙｅｓの方がＮｏより三倍多いことの説明としては弱いだろう。

もう一つの説明は、質問者の態度に着目したものだ。質問者自身も、人間が全般にＮｏと言うのを嫌うのを知っているのだから、そもそも相手にＮｏと言わせるような質問を避けることが多いのではないか、という説明である。できる限り、相手がＹｅｓと言えるような質問のしかたを選ぶ人が多いということだ。たとえば、人物Ａが人物Ｂに「あの映画良かった？」と質問したとする。これは一見、中立的な質問だが、実のところ、Ｙｅｓの答えを期待した質問である。もし、人物Ｂが映画を見て帰ってきて、どうも機嫌が良くないようだ、と顔を見てわかれば、人物Ａは「映画、つまらなかったの？」と質問するのではないだろうか。これもやはりＹｅｓの答えを期待した質問だ（Ｙｅｓとは言わなかったとしても、同意を意味する言葉が返って来ることを期待しているだろう）。

応答の遅れの理由

ここまで見てきた通り、会話において応答が遅れる現象には、二通りの説明が考えられる。一つは、認知処理に時間がかかるからという説明だ。応答するまでの間に何か時間のかかる処理をするせいで応答が遅れるということだ。ただ、処理に時間がかかるからといって、応答者が何かをためらっているとは限らない。例を見てみよう。[8]

Q：スタンレー・カップはどのスポーツの賞かな？
（1・4秒の沈黙）
A：えっと（1秒の沈黙）ホッケーだよね。

この場合、応答が遅れたのは、明らかに応答者が答えを思い出すのに時間がかかったからだ。「応答者は期待されている応答をしたくないので、意図的に応答を遅らせ、自分は答えたくないという信号を送った」という説明は成り立たないだろう。

とはいえ、認知処理に要した時間のせいで応答が遅れれば、そのことが意味を持つ可能性はある。犬が歯をむき出しにすれば、それを見た相手は「嚙みつかれるかもしれない」と感じるだろうが、それに似ている。犬が嚙みつく前に必ず歯をむき出しにするのだとすれば、歯をむき出しにした犬を見た側は「すぐに嚙みつかれるかもしれない」と受け取って不思議はないだろう。チャールズ・ダーウィンは一八七二年の著書『人及び動物の表情について（*The Expression of the Emotions in Man and Animals*）』に、動物の行動の中にはこのように儀式化して特定の意味を持つものがあると書いている。歯をむき出しにするという行動は、元は単に嚙みつく直前に必然的に取っていたものにすぎなかっただろう（雨が降る直前に必然的に雲が黒くなるのと似ている）。しかし、その行動が一種の儀式と化すことはあり得る。本当に嚙む意思がなくても、歯をむき出しにすれば、その意思があるという信号になると学んだ犬は、威嚇のためにわざと歯をむき出す可能性があるのだ。犬を見ている他の動物たちも、学習によって、歯をむき出しにする行動を威嚇と受け取るようになる。

質問への応答の遅延にも同様のことが言える。もちろん、単純に認知処理に手間取って応答が遅れることもあるだろう。先のスタンレー・カップの例では、応答者がただ答えを思い出すのに時間を要しただけだとわかる。しかし、応答遅延がある種の信号になるのであれば、意図的に応答を遅らせて何かを伝えようとする人も現れる。応答をあえて遅らせれば、「言いたいことがうまく言えません」と相手に伝えることができる。歯をむき出しにする行動と同様、いったん儀式化されると、信号をその元々の原因とは切り離すことができるようになる。つまり、実際には応答にまったく苦労していなくても、戦略的に応答を遅らせることができるようになるわけだ。応答のタイミングを微調整することで、自分の「答えたくなさ」をきめ細かく伝えることもできる。

応答の遅延に関しては、このように「認知処理に時間がかかる」または「それを一種の信号にしている」という説明ができるが、言語学者のフェリシア・ロバーツとアレクサンダー・フランシスの近年の研究では、こうした説明の正しさを確かめている[9]。二人はこの研究の中でこんな実験をしている。被験者に簡単な会話を聞かせる実験だ。その会話ではまず、一方が「ちょっとそこまで車に乗せていってもらえませんか？」などと頼みごとをする。すると頼まれた側は「いいですよ」と返答をする。ただ、「いいですよ」という返答が聞こえてくるタイミングを様々に変えるのだ。そして、被験者一人一人に、「応答者には頼みごとを聞き入れる気持ちがどのくらいあると思うか」を尋ねる。「いいですよ」という応答が、平均的なタイミング――頼まれてから約二〇〇ミリ秒後――で聞こえてきた場合、被験者は「この人は頼みごとを聞き入れる気持ちが強い」と判断する。

だが「いいですよ」という応答が一秒遅れたとしたらどうか。その場合、被験者は「この人はあまり頼みごとを聞き入れたくないのだな」と判断する。この結果に驚く人はあまりいないだろう。応答のタイミングに意味を読み取ることはほとんどの人がしているからだ。ただ、ロバーツとフランシスの研究が特別なのは、応答の「遅れの度合い」によって相手に伝わる意味が細かく変化すると突き止めたところだ。「いいですよ」という応答が、頼まれてから一〇〇ミリ秒～五〇〇ミリ秒の間になされた場合、被験者は「この人は頼みごとを聞き入れる気持ちが強い」と判断する。しかし、「いいですよ」という応答のタイミングが〇・五秒よりも少しでも遅れると、「あまり聞き入れたくないのだな」と判断する被験者が急に増える。

これでわかるのは、誰かが頼みごとをして、応答が一秒遅れた場合、応答者にあまり聞き入れる気持ちがないことはわかるが、それより応答がほんのわずか早かったとしても、応答者の気持ちにそう違いは感じないということだ。頼みごとを聞き入れる気持ちがあるかないかを見分ける基準点は違うところにある。ロバーツとフランシスの実験では、応答の遅延が五〇〇ミリ秒までの範囲では、どのタイミングでも被験者の受け止め方はあまり変わらないという結果

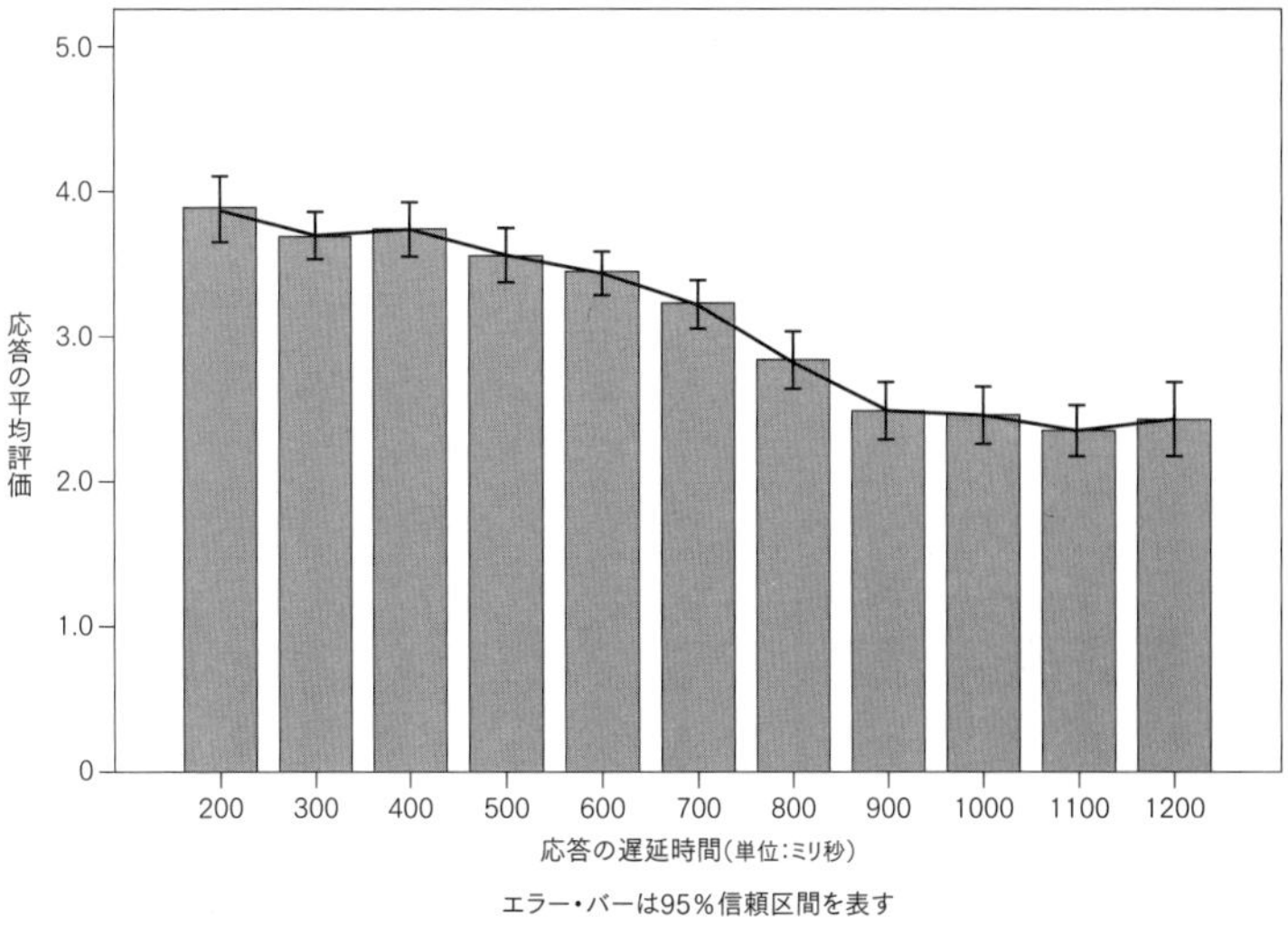

図4.3　応答の遅延時間による印象の変化。頼みごとをされた相手の応答の遅延時間を様々に変え、被験者に受けた印象、つまり「どの程度、頼みごとを聞き入れる意思があると感じるか」を評価してもらった。評価は6段階。1は「まったく聞き入れるつもりがない」、6は「受け入れる意思が非常に強い」。実線は、評価の平均値が遅延時間によってどう変化したかを示す。エラー・バーは平均値の標準誤差を示す。
出典：ロバーツとフランシスの2013年の論文、475ページ

が得られた（図4・3を参照）。遅延が五〇〇ミリ秒までの範囲なら、三〇〇ミリ秒の違いが社会的信号と解釈される可能性は低い。しかし、同じ三〇〇ミリ秒の違いでも、五〇〇ミリ秒の遅延と八〇〇ミリ秒の遅延では、大きく受け止められ方が変わってくる（図4・4を参照）。ロバーツとフランシスは、遅延六〇〇ミリ秒あたりが、相手に送られる社会的信号の意味が大きく変わる境界線だと考えた[10]。

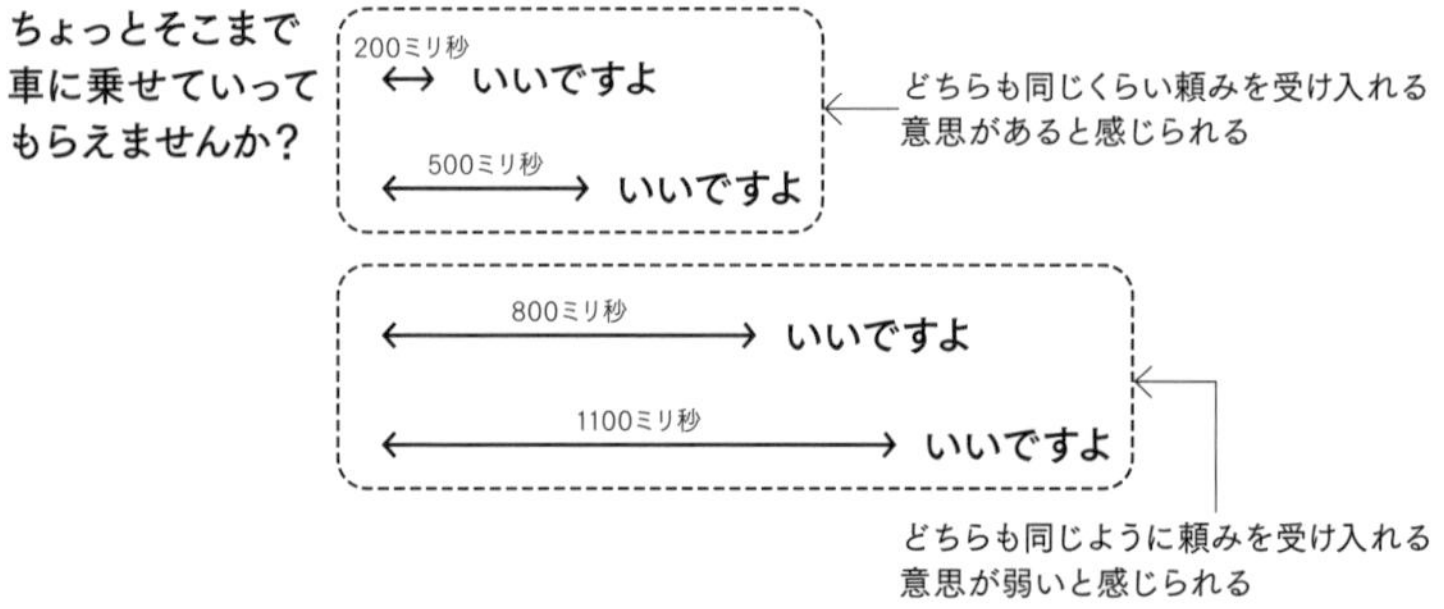
ちょっとそこまで車に乗せていってもらえませんか?
200ミリ秒
いいですよ
500ミリ秒
いいですよ
どちらも同じくらい頼みを受け入れる意思があると感じられる
800ミリ秒
いいですよ
1100ミリ秒
いいですよ
どちらも同じように頼みを受け入れる意思が弱いと感じられる

図4.4　頼みごとに対する応答遅延。遅延の程度が「オン・タイム・ゾーン」に入るのか「レイト・ゾーン」に入るのかで意味合いが変わってくる。「オン・タイム・ゾーン」ならば受け入れる意思が伝わるが、「レイト・ゾーン」だと受け入れる意思が薄いことが伝わる。出典:ロバーツとフランシスの2013年の論文

遅延時間○秒〜一秒の範囲は一様ではないということだ。前半と後半では、相手の解釈が大きく変わる。前半の範囲を私たち研究者は「オン・タイム・ゾーン」と呼んでいる[11]。これまで見てきた通り、会話の大部分では、この範囲内で話者交代が行われる。話者交代が○秒〜○・五秒の範囲内で行われた場合には、円滑な交代だと感じられる。しかし、所要時間が○・五秒を超えると、交代が遅いと感じられる。私たちは○・五秒を超える範囲を「レイト・ゾーン」と呼んでいる。話者交代が遅いと、あまり応答したくない、あるいは応答の内容が肯定的でない、ということが言外に伝わる。

肯定的でない応答のタイミング

応答の遅延が○・五秒未満の場合と○・五秒を超える場合とで感じ方が大きく変わるのはなぜか。それはおそらく認知処理にも、信号を発するのにも時間を要するためだろう。会話をし

ている人は同時に多数の情報を処理しなくてはならない。また、推論をし、この先の行動に関する計画を立て、発話をし、ジェスチャーもしなくてはならない。そのどれにも時間的な制約がある。すべて非常に素早く行われるのだが、それでも所要時間がゼロになることはない。

　経過時間が重要になるのは、特に最初の〇・五秒間だ。相手の発話が終わってから間もない「オン・タイム・ゾーン（トランジション・スペースとも呼ぶ）」では、応答のタイミングを柔軟に微妙に調整するような余裕は応答者にはない。それだけの短時間だと、応答のためのあらゆる処理（適切な語彙を脳内の辞書から探し出す、など）を完全に終わらせるのは不可能だろう。

　また、応答は自分の意思とは関係のない自動的な処理（身体の動きのリズムを相手に合わせる、など。これは相手の行動を予測し、会話のタイミングを適切に保つのに必要だと考えられる）に大きく影響を受ける。つまり、遅延が〇・五秒までの範囲であれば、多少遅延時間が変化したとしても、それは応答者の意思とは無関係であり、応答者が故意に変化させている可能性は低いと考えられる。この範囲の遅延時間の差によって、応答者の状況が明らかになる場合もあるが、それは応答者が意図して発した信号とは違っている。

　それに対し、遅延時間が〇・五秒を超える範囲になると、応答に関わる様々な処理はすでにほぼ終わっているはずである。その分、応答時間の意図的な調節をするゆとりが生じているはずだ。「レイト・ゾーン」では、遅延時間の違いは、たとえほんのわずかであっても、応答者の意思の反映である可能性が高い。見ている側も自然にそう受け止め、遅延時間に応答者の意思を見出そうとするのだろう。遅延時間が一秒にもなれば、やむを得ない処理の遅れが原因であることはまずないので、応答者が意図的に遅延させていると解釈して間違いないだろう。ロバーツとフランシスが、〇・五秒超の遅れを、応答者のためらいや気の進まなさの表れとみなしたのもそういう理由からだ。

たとえば、何かの誘いや頼みごとを断る場合のように、肯定的とは言えない応答をする際には、しばらく沈黙したり、ロバーツとフランシスの実験でも見られたように、無意味な音を入れるなどして、応答の核心部分の提示を遅らせることは多い。次の例は、電話でのある通話の最後の部分を抜き出したものである[12]。

A：今朝、ちょっとうちに寄りませんか。コーヒー出しますから。

B：（咳の音）（呼吸音）（沈黙）いやー、ご親切にありがとうございます。でも今朝は行くのが難しいかもしれません（呼吸音）えーと（沈黙）新聞広告の仕事があるし、連絡待ちで電話から離れるわけにいかないし。

人物Aは、優しく誘いかけている。人物Bは断りたいのだが、すぐに断りの言葉は口にしない。しかし、ただ何もせずに沈黙するわけでもない。ともかく応答を遅らせることで印象を和らげようとしている。まず咳をし、呼吸音をさせ、少し沈黙し、「いやー」という無意味な言葉を入れてから、相手の申し出に対して感謝をしている（「ご親切にありがとうございます」）。そして、そのあとにようやく断りの言葉を発しているが、遠回しの言い方だ（「今朝は行くのが難しいかもしれません」）。しかも、その後にはその理由も提示し、なぜ、誘いに乗ることが

ちょっとこれ皆に宣伝
してもらえますかね?
沈黙
呼吸音
えーと(沈黙)
はい、できるとは思います

図4.5　肯定的でない応答の例。
出典:ケンドリック、トレイラの2015年の論文、12ページ

できないかを説明している。これは、肯定的でない応答をする際に取る態度の典型例だろう。

言語学者のコビン・ケンドリックとフランシスコ・トレイラは、このような「肯定的でない応答」のタイミングについて詳しく研究している。その研究のために二人は、英語による電話での会話から、何らかの依頼、提案、申し出、招待などの例を二〇〇近く集めた。二人は、集めた例を大きく二つに分けた。一つは、肯定的な応答がなされているもの。もう一つは、肯定的でない応答がなされているものだ。たとえば、肯定的な応答とは、「〜してもらえますか?」という依頼に対し、即、「はい、そうします」と答えることだ。一方で、肯定的でない応答とは、「できません」と拒否するか、図4・5のように気のない返事をしたり、態度をはっきりさせない返事をすることだ。

肯定的でない応答をする際には、沈黙が長くなるだけではない。実質的な応答がなされる前に、沈黙以外のいくつかの要素がはさまることが多いことを、ケンドリックとトレイラは突き止めた。そうして、相手の言葉と応答との間の距離を空けているようなのだ。図4・5は、「はさまる要素」の例である。質問の言葉が終わってから、応答の言葉が始まるまでの間には、呼吸音や、「えーと」のような無意味な言葉、言葉の断片がはさまれていることがわかる。[13] ケンドリックとトレイラは、そうした細かい要素一つ一つを拾い上げ、質問が終わってから実質的な応答が始まるまでの遅延の細かい内容を

確認した。沈黙の時間はいつ現れ、どのくらいの長さになるか。無意味な言葉を発するのはどのタイミングか。実質的な応答が始まるのがいつか、などを詳しく調べていったのだ。

質問が終わってから、実質的な応答が始まるまでの完全な沈黙の時間を計測すると、肯定的な応答の場合も肯定的でない応答の場合も、〇秒から〇・五秒までの「オン・タイム・ゾーン」には、ほぼ同じ頻度で沈黙の時間が現れることがわかる（「レイト・ゾーン」の、特に〇・七五秒よりあとのタイミングに沈黙があれば、肯定的でない応答をすることが多い）。ただし、質問が終わったあと、最初に音が発せられるまでの沈黙時間は、肯定的でない応答をする場合の方がわずかに短いことがわかった。これは重要な事実だ。肯定的でない応答がなされる場合、その半数近くで、最初に発せられる音は言語ではなく、呼吸音（あるいはクリック音、そのほとんどは舌打ちの音）だからだ。それに対し、肯定的な応答の場合、沈黙のあとに言語でない音が続くことは多くない（わずか一七パーセント）。つまり、肯定的でない応答の前の沈黙がわずかに短いのは、主にそのあとに言語でない音が発せられるからのようだ（これが、このあとに肯定的でない応答が続くことを知らせる信号になっているらしい）。

肯定的でない応答の多くが呼吸音やクリック音で始まるため、最初に言語やその断片が発せられるタイミングは、平均すると肯定的な応答よりも遅くなる。質問が終わってから〇・七秒以上経過してから実質的な応答が開始された場合、その応答は肯定的でないものの場合が多いが、応答の開始はわずかだが平均して肯定的な応答よりも早くなる。肯定的でない応答の場合、「えーと」、「うーん」といった、応答の内容を何ら伝えない無意味な言語の断片が前につくことが多いので、そのことが実質的な応答開始のタイミングの違いに影響しているのではないかと考えられる。
二種類の応答――肯定的な応答と肯定的でない応答――の違いはまず、質問が終わってから（呼吸音や、「えーと」などの無意味な言語の断片などを除いた）実質的な応答が始まるまでの経過時間の長さにある。つまり、実質的な応答が始まるタイミングによって、それが肯定的なのかそうでないのかはある程度、予測がつくということでもある。肯定的でない応答の場合、実質的な応答の半数は、レイト・ゾーンで、つまり質問が終わってから〇・五秒以上経過してから始まる。一方、肯定的な応答の場合、実質的な応答がレイト・ゾーンで始まることは全体の二〇パーセントしかない。どちらの場合でも、実質的な応答はほとんどが質問が終わってから一秒以内には開始されるが、応答の提示のされ方は両者の間で違っている。肯定的でない応答の場合は、実質的な応答の前に、「うーん」、「えーと」などのバッファが入り、それによって相手にとって良くない知らせがもたらされるのが遅れる。肯定的でない応答の実質的な応答部分は、ほとんどが質問の終わりから約〇・六秒後に始まる。レイト・ゾーンに入ってから始まるわけだ。これが、聴き手にとっては相手の態度を見極める手がかりになっていることをロバーツとフランシスは突き止めたのだ。

応答の遅れは普遍的か

このように、肯定的でない応答には、肯定的な応答よりもわずかだが長い時間をかける。そして、このわずかに長い時間を人は有効に利用しようとする。相手の言ったことを受け入れる時の方が、拒否する時に比べ、通常、応答がわずかに早くなる。応答を聴く側もそれはわかっているので、その予測をうまく利用することで、応答のニュアンスを様々に変えることができる。[14]

A：日曜日は大丈夫ですか？

（約600ミリ秒の沈黙）

B：あー、はい、今のところそうですね。

一応、Bの応答は肯定的なものになっており、日曜日の提案を受け入れた形にはなっている。しかし、この応答は、肯定的でない応答の特徴を持っている。まず、最初の音声が発せられるまでに〇・五秒を超える沈黙があり、そのあとには「あー」という無意味な言葉がはさまって、そのあとにようやく「はい」という応答がなされている。こうした特徴は、この応答が一応は肯定だとはいえ、留保つきの肯定だということを表している。「今のところ」という言葉がつけられていることからも、今は提案を受け入れているがあとで断る可能性があるとわかる。Bの人は全面的に相手の提案を肯定してはおらず、そのことが応答のしかたに現れているのだ。

通常であれば肯定的な応答になるはずの形式を利用して、肯定的でない応答をするという手法もある。短時間で応答を開始し、無意味な音声などもはさまないのだが、結局、肯定的でない応答をするというものだ。たとえば、ごく普通の肯定的な応答は次のようになる。[15]

A：じゃあ、あのー、私どもとしては、あなたがこの件に関してどのようにお考えかと思うのですが。

（１００ミリ秒の沈黙）

B：いい考えだと思いますよ。

だが、次のケースは、応答の開始タイミングはほとんど同じなのだが、応答は肯定的なものになっていない[16]。

A：さあ、今夜はカーニバルだ。

B：そうだね。

A：行きたい？

（１００ミリ秒の沈黙）

B：いや、行かない（３００ミリ秒の沈黙）疲れてるからさ。

これは拒絶の応答だが、普通の拒絶と違うのは、実質的な応答の部分が非常に早い段階で現れるところだ。「オン・タイム・ゾーン」の範囲内でもう応答をしている。通常、拒絶をする場合には、実質的な応答の部分をはっきりそれとわかるくらいに遅延させるのだが、この応答はまったく違う。応答者は、あえて通常の反対をすることで、応答の印象を和らげる意思がないことを相手に知らせているのだ。

英語の場合、Ｙｅｓ／Ｎｏで答えられる質問への応答には明確な特徴がある。まず、他の種類の質問への応答に比べて遅延が少ない。応答の多くは「オン・タイム・ゾーン」の範囲内でなされる。質問に直接答えていない応答は、答えている応答より多少遅れ、レイト・ゾーンに入ることもあるが、それでも応答の開始がだいたい六五〇ミリ秒あたりになることが多い。前章ですでに書いた通り、私たちは、質問への応答に関する大規模な調査で得られたデータを利用して、世界の様々な言語や文化で応答のタイミングがそれぞれどのようになっているかを研究した。その中で、英語と他の言語の比較も行い、このＹｅｓ／Ｎｏで答えられる質問への応答に見られる傾向が英語に特有のものなのか、それとも普遍的なものなのかを確かめた。

対象となったのは前章でも書いた通り、一〇の言語である。私たちは、一〇の言語での質問への応答を、質問に対して答えているものと、答えていないもの（たとえば「わからない」、「お父さんにきいてみれば」といった応答を指す）とに分類し、分析してみた。すると明確なパターンが存在するとわかった。質問に答えている応答の方が、答えていない応答よりも早いタイミングから始まるのだ。そのパターンは一〇の言語すべてに共通して見られた[17]（図４・６を参照）。

私たちは対象となった一〇の言語すべてで、Ｙｅｓ／Ｎｏで答えられる質問への応答を大きく二つに分けた。一つは、質問に答えている応答（Ｙｅｓ、Ｎｏあるいはそのいずれかと同等のことを言っている応答）、もう一つは、質問に答えていない応答（質問と直接、関係ないことを言っている応答）である。図を見ると、どの言語でも、前者の応答の方が明らかに短い時間でなされていることがわかる。たとえば、ツェルタル語（中央メキシコ高地のマヤ語族に属する土着言語）では、質問に答えている応答のタイミングは非常に早く、質問の終わりからの

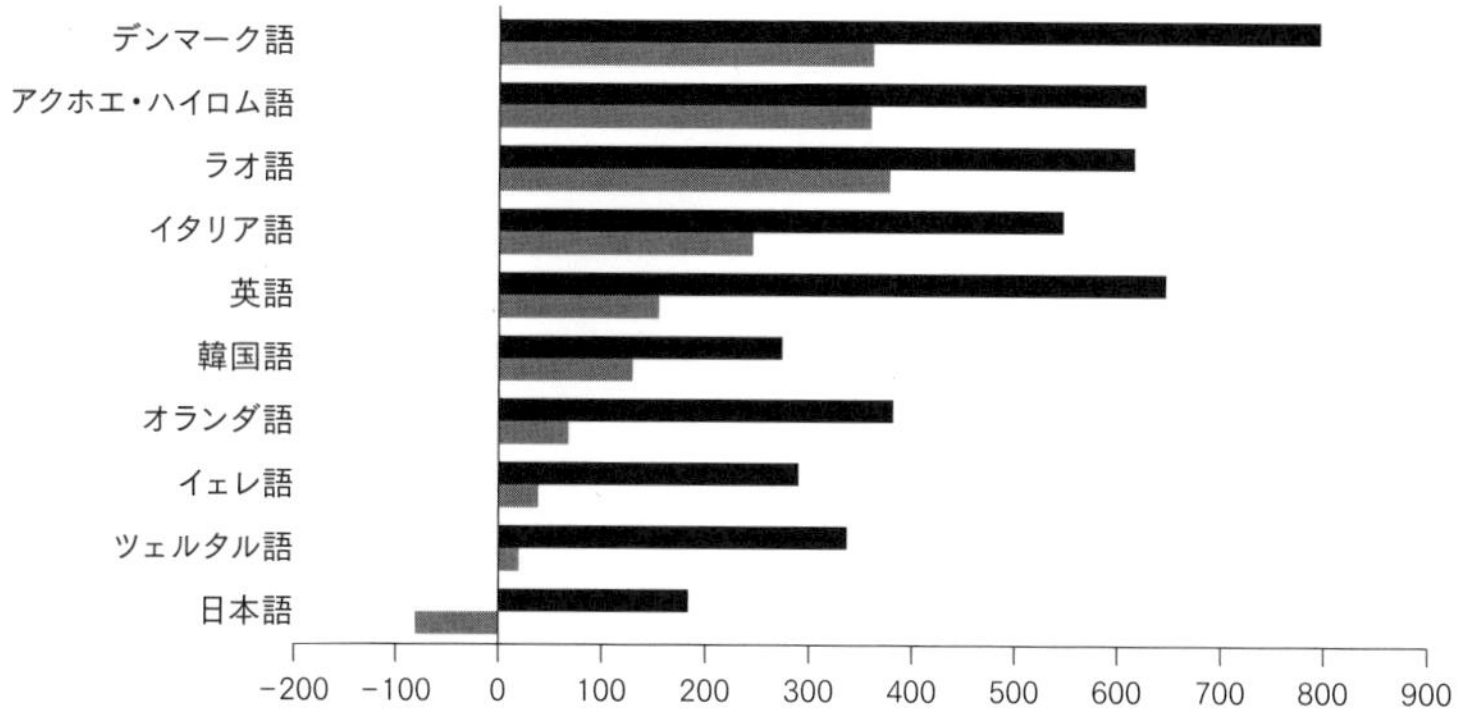

図4.6　質問に答えている応答（グレー）と答えていない応答（黒）の応答タイミングの比較。10の言語の平均。平均すると、どの言語でも、質問に答えている応答の方が、答えていない応答よりも早いタイミングから始まる傾向にある。X軸は遅延時間（単位：ミリ秒）。Y軸は言語である。デンマーク語、アクホエ・ハイロム語、ラオ語、イタリア語、英語、韓国語、オランダ語、イェレ語、ツェルタル語、日本語の10言語が対象。
出典：スティヴァースらの2009年の論文、10589ページ

遅延がほぼないほどである。しかし、質問に答えていない応答だと、遅延が平均して三五〇ミリ秒まで長くなる。ナミビアの土着言語であるアクホエ・ハイロム語の場合、質問に答えている応答の遅延時間が三五〇ミリ秒ほどであるのに対し、質問に答えていない応答の遅延時間はそれよりも三〇〇ミリ秒ほど長くなる。

同様の傾向は他のすべての言語に見られる。質問に答えている応答の方が、答えていない応答よりも遅延時間が短くなっている。ただ、重要なのは、あくまで相対的にそうなっているということだ。話者交代の標準的なタイミングが言語ごとに違っているのと同じく、質問に答えている応答、答えていない応答の標準的なタイミングもやはり言語ごとに違

っている。図で見てわかる通り、ツェルタル語の質問に答えていない応答の平均的なタイミングは、アクホエ・ハイロム語の質問に答えている応答の平均的タイミング（三五〇ミリ秒）とほぼ同じである。だが、同じ言語の中で比較すれば、質問に答えている応答の方が答えていない応答よりも遅延時間が短いという原則は成り立っている。

言語学者のフェリシア・ロバーツらは、「英語において質問への応答の遅延は、応答者の気の進まなさ、拒否感の表れ」とした自分たちの見解の正しさを確かめる調査を後に実施した(18)。その際には、以前と同様の実験を再度、行っている。頼みごとをする質問と、それに対する「いいですよ」という応答を被験者に聞かせるのだが、「いいですよ」のタイミングを様々に変えて、被験者の解釈がどう変わるかを見たのだ。ただ、この時は英語だけでなく、三つの言語を対象とした。アメリカ英語、日本語、イタリア語である。実験の結果、三つの言語のすべてでほぼ同様の傾向が見られた。「いいですよ」という応答までの遅延時間に対する感覚は、どの言語でも共通していた。応答が早い場合は、頼みごとを聞き入れる気持ちが強く、遅い場合はその気持が弱いと解釈されたのだ。

遅延の度合いの解釈は、言語や文化に関係なくほぼ同じではあるが、ロバーツらの研究結果によれば、遅延への感受性は、文化によって微妙に異なるようだ。ロバーツらは、この点に関してイタリア語話者と日本語話者とを比較した。すると、質問から〇・五秒までの範囲、つまりオン・タイム・ゾーン内での遅延に関してはイタリア語話者の方が敏感で、反対にレイト・ゾーンでの遅延に関しては日本語話者の方が敏感という結果が得られた(19)。

話者交代のタイミングについて詳しく調べると、私が「会話機械」と呼んでいるもののはたらきの一端がわかる。まず、会話機械は、会話の際に相手が話し終えてからの経過時間を測っている。特に「最初の一秒間」を敏感に察知しており、その時間を二つのゾーンに分割して、それぞれに違った意味を持たせている。その意味は、言語処理に関する認知処理の都合によって必然的に生じるものだ。おかげで人は、応答のタイミングを意図的に操作することによって、社会的信号を相手に送ることができる。言外の意味をそれによって伝えるのである。質問への肯定的でない応答の例を数多く調べると、肯定的な応答の場合よりも故意にタイミングを遅らせていることがわかる。また、実質的な応答を始める前に、沈黙や、「あー」、「えーと」などの無意味な言葉を入れて、応答を先送りしていることもわかる。会話を詳しく調べると、そういうちょっとしたノイズのような言葉も大切な役割を担っているとわかるのだ。そうしたノイズでタイミングを調整することで、信号を発し、微妙な意味を相手に伝達することができる。

第五章　信号を発する言葉

言語学が無視してきた「あー」「えーと」などの言葉は本当に無意味なのか？　実はそれらは会話の流れを制御する信号を発している

会話には必ず、言葉を生み出す行動（メッセージの発信者の行動）と、その言葉を認知し、理解する行動（メッセージの受信者の行動、受信者は一人の場合も複数の場合もある）が存在する。会話機械は、両者を直接つなぐ役割を果たす。書き言葉の場合、読者は、書き手が言葉を生み出している行動を目にすることはない。私は今、この本を書いているが、途中で何か間違えることもあるし、気が変わって最初に思っていたのと違うことを書く場合もある。予定とは違った書き方をすることもあるだろう。あるいは、途中で戻ってあれこれと修正を加える場合もある。しかし、私がどの語句、どの行に手を加えたのかは読者にはわからない。書き言葉の読み手は通常、文章が完成するまでの紆余曲折を見ることはないのだ。

しかし、話し言葉による会話は違う。会話の場合、話し手は、話しながら、リアルタイムで語句を選び、文を組み立てていく。すると、途中でどうしても、語句の選択や、発音のしかた、話すべき内容に関して問題に直面することがある。会話には台本などない。誰が何を、いつ話すのか、私たちはまったくわからない。だから、私たちは会話中、互いに絶えずちょっとした信号を発し合っている。それによって会話の流れを制御しようとしているのだ。

「あのー」は本当に無意味なのか

心理学者のハーバート・クラークとジャン・フォックス・ツリーは、次のような例を使ってそのことを説明している。これは、「ロンドン＝ルンド・コーパス・オブ・スポークン・イングリッシュ（The London-Lund Corpus of Spoken English）」という英語の話し言葉を集めた言語資料に収録された文だが、実際の話し言葉には文としておかしなところや余計な要素が多くあるのを取り除いて綺麗な文に修正されている[1]。

Well, Mallett said he felt it would be a good thing if Oscar went.
〔そうですね、オスカーが行ったのならそれは良いことだと思うとマレットは言っていました〕

だが、実際の話し言葉はこのようになっていた。

Well,（沈黙）*I mean this*（沈黙）*uh, Mallett said Mallett was uh said something about uh you*

know he felt it would be a good thing if uh（沈黙）*if Oscar went.*
〔そうですね、（沈黙）私が思うに、これは（沈黙）あの、マレットは言っていました、マレットは、あー、こんなことを言っていました、ですから、わかりますよね、オスカーが行ったのなら（沈黙）あのー、良いことだと思うと〕

この話し手は、話しながら自分の言葉に色々と余計な要素を付け加えている。クラークとフォックス・ツリーはこの文の成り立ちについて詳しく説明した。まず話し手は「いったんある方向で話し始め（"Mallett said something about"）たのだが、そのあと、方向転換をしている（"He felt it..."）。いったん言ったことを言い直してもいる（"Mallett said" を "Mallett was" に言い直した）。前置きの言葉（"I mean" や "You know"）を随所に入れ、同じ言葉を繰り返してもいる（"If" と言ったあとにすぐ "If" と言っている）。あえて文を引き延ばしている箇所もある（沈黙したり、"Uh" などの言葉を入れるなどしている）」。(2)

ノーム・チョムスキーをはじめとする言語学者の多くは、こうした話し言葉の不完全さや混乱は、言語の本質とはあまり関係がなく、無視してもよい、という見方をしている。一方で、研究者の中には、そうした要素は確かに言語の本質とは関係ないかもしれないが、人間が言語をどう処理しているかが垣間見られるという点では興味深いと考える人たちもいる。いわゆる心理言語学者は、まさにその考え方で研究をしている人たちだろう。

そして、クラークとフォックス・ツリーのようにそのどちらとも違う見方をする人たちもいるのだ。この一見、余分ともいえる要素が、実は言語の本質部分だと考える人たちである。(3) 話者は、言語の流れを制御するためにそれを利用している。詳しく見ていけば、話者がどこで話を止めようとしたのか、なぜそうしたのか、またどのくらいの時間、止めていたのか、などがわかる。クラークとフォックス・ツリーがこの問題について研究するにあたって最初に題材に選んだのは、まさに手始めにふさわしい要素だった。それは"Um（うーん、えーと）"、"Uh（あのー、あー）"といった簡単な、一見、無意味な語句である。使用頻度が高く、そしておそらく言語の中でもあまり評判の良くない要素と言えるだろう。

心理言語学者のウィレム・レヴェルトは、人間が言葉を発する際のリアルタイムの心理学的プロセスについての先駆的な研究をした。その中でレヴェルトは、被験者にいくつかの色のついた点を線で結んだだけの簡単な地図を見せ、その地図を見て口頭で経路の説明をしてもらう、という実験をした。経路説明の時には、どうしても、点の色を言うことになるが、色の名前を言い間違える人が多くいた。たとえば、本当はピンクの点なのに、茶色と言ってしまう、といった間違いがよく起きたのだ。間違えたとしても、約半数のケースでは、被験者はそれに気づきさえしなかったか、少なくとも言い直そうとはしなかった。そして、誤りを訂正した場合には、必ずと言っていいほどその前に"Um"、"Uh"といった無意味な言葉を口にした。二つほど例を見てみよう。(4)

First a bro—uh a yellow and a green disk
〔まず、茶色——あのー、黄色ですね、それと緑の点があります〕
And from green left to pink; uh from blue left to pink

〔そして緑の点から左に、ピンクの方へ――あー、青からでしたね、そこから左、ピンクの方へ〕

一つ目の例で被験者は、“Brown（茶色）”と言いかけてから、いったん言葉を切って“Yellow（黄色）”と言い直している。また、言い直しの前には“Uh”と言っている。二つ目の例で被験者は、“From green left to pink（緑の点から左に、ピンクの方へ）”という複雑な表現をしている。そのあと、“Uh”という言葉をはさんでから、“Green（緑）”を“Blue（青）”に言い直している。では、この“Uh”はいったい何なのか。

“Um”や“Uh”などの無意味な言葉が出るのは、話しながら何かの問題に直面した時のようだ。本人は意識していなくても、発話に何らかの問題があると、そういう言葉が出るし、そういう言葉が出れば、聞き手の側は、何か問題があるのだなと察知することができる。レヴェルトはそう考え、この種の無意味な語句を問題の「兆候」と呼んだ。また、“Um”や“Uh”を意図的に入れることで、言外のメッセージを発しているという見方もある。社会学者のアーヴィング・ゴッフマンも、その見方をしていた。「話がうまくまとまらなくて今、少し苦労している」ということを相手に知らせる信号として無意味な語句を利用しているというのだ[5]。それによって、文章の流れは滞り、滑らかではなくなるが、「問題はあるけれども、間もなく修正できる」と聞き手に伝える信号を送ることができる。

図5.1　“uh”と“um”から滑らかな発話再開までの経過時間の比較。
出典：クラークとフォックス・ツリーの2002年の調査

「うーん」「あのー」は役に立つ

英語の場合、〝Um（うーん、えーと）〟と〝Uh（あのー、あー）〟は、どちらも同じような状況で使われる。どちらも発話に何らかの問題があり、滑らかに言葉が出ない時に使われるのだ。しかし、クラークとフォックス・ツリーは、〝Um〟と〝Uh〟には重要な違いがあることを発見した。二人は、先述の「ロンドン＝ルンド・コーパス・オブ・スポークン・イングリッシュ」を調べ、〝Um〟、〝Uh〟の使用例を四〇〇〇近く抜き出し、それぞれの言葉が使われてから、滑らかな発話が再開されるまでの経過時間を計測した。それでわかったのは、〝Um〟を使った場合の方が、〝Uh〟を使った場合に比べて、経過時間が長くなるということだ。〝Uh〟を使った場合、滑らかな発話が再開されるまでの経過時間は、平均でだいたい四分の一秒だ。一方、〝Um〟が使われた場合、滑らかな発話が再開されるまでの経過時間は平均で四分の三秒近くにもなる（図5・1を参照）。

クラークとフォックス・ツリーは、〝Um〟と〝Uh〟の意味はそれぞれ次のように定義できると結論づけた。

〝Um〟＝私は発話を遅延させる。この遅延は長くなる。

〝Uh〟＝私は発話を遅延させる。この遅延は短くて済む。

このように書いても、確かに興味深いが、それは英語という言語のちょっとした癖にすぎないのでは、と言う人もいるだろう。しかし、実のところそうではない。“Um”と“Uh”のように、遅延の長さの違いを予め伝えられる語句が英語に存在することが重要なのだ。“Um”や“Uh”で予告される遅延が生じる原因は、認知処理に関わる問題——語句や名前がなかなか思い出せない、考えがうまくまとまらない、自分の言葉を相手がどう解釈するか予測できない、など——であることが多い。ただ、“Um”と“Uh”を使ったからといって、必ずそうした問題が生じているとは限らない。すでに見てきた通り、行動には「儀式化」という現象が起きることがある。“Um”と“Uh”を使う行動もやはり一種の儀式となり、別の役割を持っている場合があるのだ。社会学者のエマニュエル・シェグロフも、“Um”や“Uh”は、発話の問題とはまったく無関係に使われる場合があると主張している[6]。

たとえば、“Um”や“Uh”は、相手の質問に肯定的でない応答をする前に使うことがある。前の章で見た通り、肯定的でない応答は肯定的な応答に比べて実質的な応答の開始が遅れる。そして、実質的な応答の前には沈黙だけでなく、“Um”や“Uh”のような無意味な言葉がはさまることが多い。例を見てみよう（肯定的でない応答の前のuhに下線をつけてある[7]）。

Stan: Are you registered at your new address?
Joyce : No
Stan: You wanna be registered there? Er at nine two five oh—

Joyce: No because I'm probably moving in June
Stan: Okay yeah that's good
Joyce: You know and then I'll just have to—
Stan: Any changes of uh party affiliation or anything like that?
Joyce: Uh not at this moment. When do I have to tell you by?

スタン：新しい住所で登録しているの？
ジョイス：してない
スタン：登録するつもりある？　えーと、９２５それからなんだっけ――
ジョイス：ない、だって六月に引っ越すと思うから
スタン：そうか、なるほど、それならいいか
ジョイス：そうなの、だから、その時になったらということで――
スタン：他に何か変わることあるかな、あのー、所属先とかなんとか
ジョイス：あー、今のところはない。いつ頃までに言えばいいかな

最後の行でジョイスは、スタンの質問に応答してはいるが、スタンの尋ねていることに答えるのを拒否している。これはまさに、肯定的でない応答に“Uh”をつけて実質的な応答を遅らせている例だ。他にはこういう例もある。[8]

Mike: Is that his wife who works there sometimes too?
Sha: Uh no it's not. it's another girl.

マイク：あそこで時々働いているのはやっぱり彼の奥さんなのかな?
シャ：あー、いや、違うね。それは別の人だよ。

これは肯定的でない応答の中でもわかりやすい例だ――Ｙｅｓ／Ｎｏで答えられる質問に“No”で答えている―― “Uh”という言葉をはさむことで実質的な応答を遅らせている。

シェグロフも紹介しているが、同じように肯定的でない文章に“Um”や“Uh”がつけられてはいても、これとは種類の違った例もある。本書でこれまで見てきたのは、誰かの質問に対して、肯定的でない応答をする例ばかりだった。会話中に相手が何か質問をしてきたが、相手の希望に沿う応答ができない時に、“Um”や“Uh”で応答を遅らせる、という例ばかりだったのだ。しかし、質問に応答するのではなく、自分から何かを言う場合でも、それが相手にとって好ましくないことがあらかじめわかっていることもある。たとえば、相手に何か面倒なことを頼む発言をする場合がそうだ。次の例を見て欲しい(9)。

1. **Stan**: Well okay that's about all I wanted to bug you with today.
2. **Joyce**: Okay Stan.
3. **Stan**: So are you okay?

4. **Joyce**: Yeah（沈黙）um（沈黙）whatta ya doing like late Saturday afternoon?
(Stan describes how he is planning to catch up with a friend)
5. **Stan**: why what's happening?
6. **Joyce**: Because I'm going down to San Diego. And I'm going to fly. And so I need somebody to drive me to the airport.

1. **スタン**：うん、そうだね。これで今日、してもらいたかったことはだいたい終わりだ。
2. **ジョイス**：そう、よかった。
3. **スタン**：それで、大丈夫？
4. **ジョイス**：うん（沈黙）えーと（沈黙）土曜の午後の遅い時間って何してる？
（スタンは、その時間に友達に会う予定だと告げる）
5. **スタン**：なんで？　どうかした？
6. **ジョイス**：私、サンディエゴに行くからさ。飛行機に乗るの。だから、誰か空港まで車で送ってくれないかなって。

ジョイスはスタンに空港まで車で送ってもらいたいと思っていて、4で話していることは、それを頼むための前置きのようなものだ。空港まで送ってもらうのは、言ってみれば「虫のいいお願い」なので、いきなりそれを言うわけにもいかない。ジョイスがまず、スタンの予定を尋ねているのはそのためだ。ジョイスは、どう頼むのがいいかすぐには決められず、考えながら話をしたために言葉が途切れ途切れになったのかもしれない。ただ、ジョイスは、単に言葉につかえていたわけではなく、"Um"という、話の進行が遅れることを知らせる言葉を使っている。

これは偶然、選ばれたわけではないだろう。"Um"は、話し手が話をするのに何かしら困っていることを意味する言葉だ。相手にとって好ましくないことを言おうとしており、そのせいで発話が遅れているのだと知らせるのには良い言葉である。"Um"がそういう機能を持つことは、クラーク、フォックス・ツリーの主張とも矛盾しないだろう。ただし、クラーク、フォックス・ツリーの二人は、"Um"が使われた時の発話の遅延そのものに注目しており、話者の抱えているであろう問題には注目していない（もちろん、話者が何かしらの問題を抱えているせいで発話が遅延することは多い）。"Um"や"Uh"が使われると発話に遅延が起きがちなことは間違いないが、重要なのは、認知処理の問題によってやむを得ず遅延が生じてしまったのか、それとも話者が故意に遅延を発生させた（遅延を信号にした）のかということだ。

断るときだけじゃない

また、その他には、電話をかけた理由を話す前に"Um"や"Uh"を使うこともある。次の例は電話での会話だ。一回の通話が始まってから終わるまでで、所要時間は全部で二六秒となっている。(10)

Susan: Hello?

Marcia: Hi is Sue there?
Susan: Yeah this is she.
Marcia: Hi this is Marcia.
Susan: Hi Marcia how are you?
Marcia: Fine how are you?
Susan: Fine.
Marcia: Um we got the tickets.
Susan: Oh good
Marcia: and put them in envelopes you know with everybody's name on them, and a big manila envelope is hanging on the uh Phraterian bulletin board.
Susan: Oh that's great.
Marcia: So they'll be there by y'know before noon tomorrow we'll get'em up there.
Susan: Okay that sounds good.
Marcia: Okay?
Susan: Okay thanks so much.
Marcia: Okay bye bye.
Susan: Bye.
(End of call)

スーザン：もしもし？
マーシア：もしもし、スー？
スーザン：そう私。
マーシア：マーシアです。
スーザン：マーシア、元気？
マーシア：元気。そっちは？
スーザン：元気。
マーシア：えーと、チケット手に入ったよ。
スーザン：わー、やった。
マーシア：それで、封筒に入れた。ほら、誰のチケットなのか、名前を書いた封筒。それからフラテリアンの掲示板に大きなマニラ封筒があるから。
スーザン：それはいいね。
マーシア：明日の昼にはチケットの用意ができるから取りに行く。
スーザン：オーケー、素晴らしいね。
マーシア：わかった？
スーザン：わかった。どうもありがとう。
マーシア：オーケー、バイバイ。
スーザン：バイバイ
（通話終了）

マーシアは、"Um we got the tickets.（えーと、チケット手に入ったよ。）"と言っているが、この言葉を発するのに、何か困難があるとは思えない。どう考えても、相手にとって好ましくないことを言うわけではないからだ。マーシアはただ、電話をかけた理由を言おうとしているだけだ。単に相手に情報を与える言葉を発しようとしているだけである。

もう一つ例を見てみよう。この例で、まず二人はひとしきりジョーク（これは電話なのでお互いが見えるわけはないのだが、見ているかのように話している）を交わす。そして、ガイは、電話をかけた理由を話す。その前には信号の役割を果たす"Uh"という言葉が使われている。[11]

John: Hello?
Guy: Johnny?
John: Yeah.
Guy: Guy Detweiler.
John: Hi Guy how are you doing?
Guy: Fine.
John: You're looking good.
Guy: Great so are you. Great, gotta nice smile on your face and everything.
John: Yeah.
Guy: Hey <u>uh</u> my son-in-law's down and uh thought we might play a little golf either this

afternoon or tomorrow, would you like to get out?

John: Well this afternoon'd be all right but I don't think I'd better tomorrow.

ジョン：もしもし？

ガイ：ジョニー？

ジョン：ああ。

ガイ：ガイ・デトワイラーだよ。

ジョン：ああ、元気？

ガイ：元気だよ。

ジョン：顔色いいな。

ガイ：いいだろ。そっちこそな。いい笑顔だし、ほんと元気そうだ。

ジョン：そうか。

ガイ：それでな、あー、娘の旦那がさ、今、病気でね。でも、あー、俺たちはちょっとゴルフくらいできるんじゃないかと思ってね。今日の午後でもいいし、明日でも。どうかな。出て来る気ある？

ジョン：そうだな、今日の午後かな。明日は多分無理だよ。

緊急の電話で、急いでいる時でも、電話をした理由を言う前には、"Um"や"Uh"が入ることが珍しくない[12]。

Dispatch: Radio, Hubbell.
Caller: Uh send an ambulance to uh fifteen oh four Ferry Street. A kid hit by a car.
救急センター：こちら救急センターです。
通報者：あー、救急車をお願いします。あー、１５０４フェリー・ストリートです。子供が車にはねられました。

Dispatch: Radio?
Caller: Uh could you send an emergency squad out to fourteen sixty one east Mound Street please.
救急センター：救急センターです。
通報者：あー、マウンド・ストリート東１４６１まで、救急隊をお願いします。

Dispatch: Police desk.
Caller: Uh could you uh go to uh eleven twenty five Broadway.
警察：警察です。

通報者：あー、すみません、あー、１１２５ブロードウェイまでお願いできますか。

ここで例にあげたような"Uh"や"Um"は、話者が発話にあたって何らかの困難を抱えている印ではないとシェグロフも言っている。どれも皆、単に電話をかけた理由を説明しているだけである[13]。シェグロフのあげている次の例では、それがより明らかである[14]。

(after an amount of small talk)

Alan: Okay well the reason I'm calling—there is a reason behind my madness.
Mary: Uh-huh.
Alan: Uh next Saturday night's a surprise party here for Kevin, and if you can make it.
Mary: Oh really?!
Alan: Yeah.

（世間話を少しした後）

アラン：オーケー、えっと、今日電話したのは——僕はおかしなことをしているようでもちゃんと理由があるんだ。
メアリー：そうなのね。
アラン：あー、次の土曜の夜にね、ケヴィンにサプライズ・パーティーをしかけるんだ。で、君も良かったら参加しないかと思って。

メアリー：え、本当に？
アラン：本当だよ。

この例でもやはり、"Uh"があったとしても、発話者はそのあとの言葉を口にするのをためらっているわけではない。"Uh"は、相手にとって好ましくない発言をする際に、発話を遅らせるための道具として使われることが多いとシェグロフは言っている。[15] また、話者が発話にあたって何か問題を抱えていることを知らせる信号としても使われることが多い。ただ、それ以外に、その時々の特殊な目的があって"Uh"が使われることもあるのだ。

男女で使う頻度が違う？

"Um"や"Uh"の使い方には、性別や年齢による違いもある。言語学者のマーク・リーベルマンは、この点に関し、英語の話し言葉の文例を集積した大規模コーパスを作成して調査した。[16] 一万二〇〇〇人近い人たちが会話中に使用した二三〇〇万を超える単語を収集し、"Um"あるいは"Uh"の使用例を調べあげたのだ。

それでまずわかったのは、"Um"や"Uh"は誰もが頻繁に使うものの、どちらかといえば、男性の方が女性よりも多く使うということだった。男性の場合、会話中の五〇語に一語は"Um"か"Uh"になっていた。一方、女性の場合は、七〇語に一語くらいの頻度だ。リーベルマンは、"Um"と"Uh"の使用頻度の違いも調べている。それでわかったのは、女性は男性よりも"Um"を多く使うということだ。女性の場合、会話中の一〇〇語に一語は"Um"だった。

男性の“Um”の使用頻度はそれよりわずかに少ない。反対に、“Uh”は男性の方が女性よりもはるかに多く使っている。男性の場合、会話中の八〇語に一語は“Uh”で、女性は平均すると“Uh”の使用頻度が二〇〇語に一語を下回る。

このように、性別によって“Um”や“Uh”の使用頻度が違っている理由はいくつか考えられる。まず、男性の方が“Um”や“Uh”の使用頻度が高いのは、女性に比べて話す際に認知処理に問題が発生する頻度が高いせいかもしれない。認知処理の問題が起きるせいで発話にわずかな遅延が生じている可能性がある。しかし、すでに書いてきた通り、“Um”や“Uh”を使ったからといって、必ずしも認知処理に問題が生じているとは限らない。何か発話を遅らせたい理由があり、それを知らせるためにあえてこうした語を使用することもあり得るのだ。「発話を遅らせてはいるけれど、口をはさまないでくれ、まだ私の話す番は終わっていないのだから」というメッセージを発しているのである。

つまり、男性の“Um”や“Uh”の使用頻度が高いのは、女性に比べて「まだ自分の番は続いている」と主張する頻度が高いからではないか、とも考えられる。もし、そうなのだとしたら、その目的のために男性が“Um”より“Uh”を多く使っているのは興味深い。先述の通り、クラークとフォックス・ツリーの調査によれば、“Um”を使った場合の方が“Uh”を使った場合よりも遅延時間が長くなる傾向があるからだ。なぜ男性が女性に比べ、遅延時間の短い“Uh”を多く選ぶのか、その理由はまだわからない。今後の研究で明らかにしていくべきことだろう。

“Uh”や“Um”に関しては、定まった意味を持つ「一人前の」単語だとみなすべきだ、という人もいるが[17]、脳内で言語処理に何らかの問題が生じていることを示すだけの音にすぎないとみなすべき、[18]という人もいる。“Uh”や“Um”が一人前の単語だとみなす人たちが根拠とするのが、こうした言葉が英語のものだという事実だ。もし、“Uh”や“Um”が発話遅延の要因となる言語処理の問題の表れなのだとしたら、他の言語にも“Uh”や“Um”あるいはそれに類した言葉があるはずだ。脳に損傷を受けた際に瞳孔が異常に拡張するように、話している言語に関係なく自然に“Uh”や“Um”かそれに類した言葉が出てこなければおかしい。どの言語の話者であろうと、言語処理の問題に直面することは必ずあるし、発話が遅延することも必ずあるだろう。

しかし、英語以外の多くの言語では、その場合に“Um”や“Uh”とは違う音を使う。たとえば、ラオスの公用語であるラオ語では、遅延の信号として“Um”や“Uh”は使わない。その変わりに使うのが“Un”という言葉だ（発音は「アン」に近い）。この一例を見るだけでも、“Um”や“Uh”が人間の口から自然に出る音ではないことがわかるだろう。英語圏で育つ間に習慣として使われている言葉を学び、使うようになっただけなのだ。

信号としての「うーん」「あのー」

“Um”や“Uh”についての研究でこれまでにわかったことをまとめてみよう。まず言えるのは、こうした言葉は、非常に信頼性の高い信号として使われるということだ。相手に「話すことを準備するまでに時間が必要です。ですから、少し遅延が発生すると予測されます。私が話す番なのですが、すぐには実質的な発話に入れません」というメッセージを送ることができる。非常にシンプルなメッセージではあるが、人間の会話機械の特徴がよくわかるメッセージであり、人間の会話がどのように成り立っているかを知る重要なヒントになり得る。

“Um”や“Uh”による信号の特徴は、まず「再帰的」であることだ。つまり、会話の中で「自分自身について何かを伝えることができる」という特徴だ。これは人間の言語に特有の興味深い特徴である。会話の現在のテーマに関しては何も情報を付加せず、話者の脳内、精神の情報や、会話そのものの流れについての情報を付加する役割を果たす。

他の特徴としては、高速で話者交代が行われる場面でのみ意味をなす、ということがあげられる。この場面では、ほんのわずか発話に遅延が生じただけでも、簡単に誰かに「話す番」を取られてしまう恐れがある。会話が共同行動であり、その中で皆が一定の道徳的義務を背負っている状況では、遅延が生じるのならばその理由を伝えるべきである。正当な理由が伝えられなければ、「話す番」が奪われてもしかたない。遅延の理由を伝えることは可能だ。会話中は、皆がタイミングに非常に敏感になっている。その状況では、わずかな遅延があっただけでも、そこから様々なことが推測できる――たとえば、「話者は何かためらっているのかな」といったことを推測できるのだ。話者の側は、そこで“Um”や“Uh”を故意に使うことで、「発話は遅延しますが、まだ私の番ですよ」ということを相手に伝えられる。

また重要なのは、“Um”や“Uh”を使う場合、話者は相手が自分に協力的なはず、と無意識にでも考えているということだ。「遅延するけれど、発話は控えて待って欲しい」という信号に従ってくれるはずだと思っているのである。隙間が空いて、割り込むのは不可能ではないがあえて割り込まないでいてくれると思っている。

会話を続けさせる言葉

〝Um〟や〝Uh〟による信号は、自由な会話の中では頻繁に発せられる――あまりに頻繁なのではないか、と言う人もいるだろう。複数人での会話だけでなく、独白、一人語りなどの場面でもこの信号が発せられることがある。ここで〝Um〟や〝Uh〟によく似てはいるが、複数人での会話にのみ見られる表現について考えてみよう。それは、〝Mm-hmm（うんうん）〟である（これは口を閉じて発する音だが、口を開いて発する〝Uh-huh〔はいはい〕〟も同じと考えていいだろう）。

〝Mm-hmm〟／〝Uh-huh〟は、質問に対するＹｅｓの意味を持つ言葉だ。ただし、今はその機能ではなく、会話を滑らかに続かせる機能に注目する。次の例を見て欲しい（〝Mm-hmm〟に下線をつけてある）[19]。

Caller: This is in reference to a call that was made about a month ago.
Host: Yes sir?
Caller: A woman called, uh sayin she uh signed a contract for her son who is—who was a minor.
Host: <u>Mm-hmm.</u>
Caller: And she claims in the contract there were things given, and then taken away, in small writing.
Host: <u>Mm-hmm.</u>

Caller: Uh now meanwhile, about a month—uh no about two weeks before she made the call I read in—I read or either heard—uh I either read or heard on the television where the judge had a case like this.

Host: Mm-hmm.

Caller: And he got disgusted and he says I—he's sick of these cases where they give things in big writing and take 'em—and take 'em away in small writing.

Host: Mm-hmm.

Caller: And he claimed the contract void.

Host: Mm-hmm.

Caller: Uh what I mean is it could help this woman that called.
You know uh, that's the reason I called.

発信者：一ヶ月前の電話の件です。

担当者：はい、なんですか？

発信者：ある女性が、あー、言うにはですね、あー、息子の——未成年の息子です——の代わりに契約書にサインをしたと。

担当者：ええ、ええ。

発信者：それで、その女性が言うには、契約書にはもらえるもののことが書いてあるけれど、反対に取られるもののことも、小さな文字で書いてあると。

担当者：ええ、ええ。

発信者：あー、それでですね、一ヶ月前――いや、違いますね、電話がある二週間ほど前に、私は何かで読んだのですが――読んだのか聞いたのか忘れましたが――あー、何か読んだのか、それともテレビで見たのかちょっと忘れましたが、どうやら、ある裁判官がそういう事例を知っているみたいで。

担当者：ええ、ええ。

発信者：それで裁判官はそういう事例にうんざりしていると。裁判官が言うのには――そういう事例があまりに多くてうんざりしているらしくて。もらえるもののことは大きな文字で書いてあるのに――取られるもののことは小さな文字でしか書いていない。

担当者：ええ、ええ。

発信者：それで、裁判官は、そういう契約は無効だと言っていました。

担当者：ええ、ええ。

発信者：あー、この話は、例の電話をしてきた女性にとっては有益なのではないかと思うんです。

わかりますか。あー、私が電話したのはそれを言いたかったからです。

こういう会話は珍しくない。一方が長々と話していて、もう一方は専ら聴き役に回る。聴き役の方は、「聴いていますよ」と相手に伝えるために、隙間を見つけては“Mm-hmm”や“Uh-huh”をはさむのだ。仮に、相手の言うことを実はよく聴いていなかったとしても、“Mm-hmm”

や“Uh-huh”を適当にはさむのは可能ではないか、と思う人もいるかもしれない。それは確かにその通りだし、私はそれも“Mm-hmm”や“Uh-huh”の持つ機能だと考えている。“Mm-hmm”や“Uh-huh”を使うことで、「話を聴いていますよ」ということが相手に伝わるのだとしたら、「話を聴いている」と相手に思ってもらうために“Mm-hmm”や“Uh-huh”を利用することもあるだろう。このことは、“Mm-hmm”や“Uh-huh”などが言語の重要な一部であり、単にうっかり、あるいは副産物的に出てしまう音などではない証拠だと考えられる。嘘をつき、相手を欺くのに利用されるのは、“Mm-hmm”や“Uh-huh”が立派な語句としての特性を備えているからだ。“Mm-hmm”や“Uh-huh”を使うと、その人は事実上、相手に「続けて」、「聴いていますから、続けてください」などと言ったことになる。それは先の例からも明らかだ。つまり、それが“Mm-hmm”や“Uh-huh”という言葉の意味だと言うこともできる。しかし、その意味に関してはもっと詳しい説明もできる。

心理学者のハーバート・クラークは、“Mm-hmm”や“Uh-huh”を「話を続けさせる言葉」だと言っている。“Mm-hmm”や“Uh-huh”を使うと、人が発話の際に必ず暗黙のうちに提示する質問、つまり「私がここまでに話したことを理解していますか、受け入れていますか」という質問に、Ｙｅｓと答えたことになるからだ[20]。ただし、社会学者のエマニュエル・シェグロフは少し違う主張をしている。シェグロフは、“Mm-hmm”や“Uh-huh”は「今のところ、あなたの話したことに関して、繰り返して欲しいところや、詳しい説明、訂正などを必要とする箇所はありません」というような意味だと言う[21]。二つの説明は微妙な違いはあるものの、いずれにせよ、“Mm-hmm”や“Uh-huh”は何か有用な情報を提供している、という点では共通している。

先にあげた例でも、発信者は一方的に話しているようだが、担当者が適宜"Mm-hmm"で話を聴いていることを伝えてくれることに助けられていたはずである。

一人語りにも聴き手の協力が必要

"Mm-hmm"や"Uh-huh"のような「話を続けさせる言葉」は、話し手にとっては単に「助けられる」という程度のものではない。クラークは、誰かが一人語りをするのを聴いている時に、"Mm-hmm"や"Uh-huh"を使って信号を発するのが非常に重要だとして、次のように言っている。「一人語りは表面上、会話とはまったく違うように見える。表面上は、専ら一人がその人だけで話をしているからだ……しかし、実際にはそうではない。一人語りでも、会話と同じように、聴き手の協力が絶対に必要になる。聴き手は隠れたところで協力していてわかりにくいだけだ[22]」

心理学者のジャネット・バヴェラスらは、一人語りを聴いている際の"Mm-hmm"や"Uh-huh"のフィードバック信号としての効果を確かめる実験を行った。誰かが一人語りをしているのを聴く時、人がどう行動するのかを見る実験でもある。この実験ではまず、被験者を研究室に呼び、誰かが死にそうになった体験や「あわや大事故」という体験を語るのを聴いてもらった。

この種の語りには、いくつか大きな特徴がある。そのうちの一部については第二章でも触れた。まず、途中で話者が交代することなく、基本的に一人の人が話し続けるということだ。聴き手となった人は語りが続く間、ほぼ言葉を発することなく静かに聴き続ける。二つ目の特徴は、どれだけ話が続けば語りが終わるのかを前もって知ることはできないということ。三つ目は、語りが終われば、終わったことが明確にわかるということだ。バヴェラスらの実験の場合は、話し手がもう少しで危ない目に遭いそうになるが、結局それは避けられた、というところまで話が進めば終わりである。四つ目は、語りが本当に完結を迎えるには、聴き手が終わりを認識する必要があるのはもちろんだが、それだけではない。聴き手は終わりを認識し、しかも話の意味を理解したことを知らせる信号を発しなくてはならない。できれば、聴き手は話し手の抱いた感情が正当であると認め、それを話し手に何らかのかたちで伝えられるのが望ましい。たとえば、語りが死にそうになった体験を話すものであった場合、語りの終わりの聴き手の適切な反応は、「うわ、大変、本当に運が良かったね」というようなものになるはずだ。しかも、声や顔の表情で、恐怖を感じたこと、同情したことなどを伝えるべきだろう。

一人語りのこうした特性は、話し手と聴き手の両方に関わっている。そこには、第二章で触れたような種類の会話のルールも関わってくる。このルールの下では、話し手と聞き手の双方に、語りがうまく運ぶよう協力し合うことが求められる。失敗する可能性は十分にある。話し手の思い通りの結果にならないこともあるだろう。その場合、聴き手が責められることも大いにあり得る。たとえば、話が終わったにもかかわらず、聴き手が何も言わずただ沈黙していた、あるいはまだ前置きが終わっただけなのに「うわ、大変、本当に」という類の反応をしてしまった、ということがあれば、その一人語りは大失敗だろう。つまり、一人語りにおいても、話し手と聴き手の行動には非常に密接な関係があり、話し手と聴き手はお互いに影響を与え合うということだ。その点は通常の会話とまったく同じだ。一人語りであっても、話し手は聴き手が必要な協力をしてくれないと、まともに話ができない。
バヴェラスらは、実験心理学の手法を用い、会話に参加する人どうしがいかに緊密に結びついているかを調べた[23]。この実験では、被験者に二人一組で研究室に入って会話してもらい、その様子を撮影した。ただし、会話は普通の会話ではなく、一方の人を話し手、もう一方の人を聴き手にする。話し手に指名した人には、死にそうになった体験、あるいは大事故に遭いそうになったが辛くも避けられた体験を話してもらう。この実験でまずわかったのは、語りを聴いている間の聴き手の応答は大きく二つの種類に分かれるということだ。バヴェラスらは、一方を「汎用の応答」、もう一方を「特殊な応答」と名づけた[24]。汎用の応答とは、うなずきや、"Mm-hmm"、"Uh-huh"といった言葉を使った応答のことである。たとえば、次の二つは、汎用の応答の例だ[25]（どちらもバヴェラスらが実際に録音した会話からの引用）。

Narrator: We stayed in an RV park.
Listener: Mm-hmm (with nod).
話し手：僕らはＲＶパークに泊まったんだ。
聴き手：うんうん（うなずきながら）。

Narrator: I have a single bed
Listener: (nod)

Narrator: with a headboard.
Listener: Mm (with nod).
話し手：僕はシングル・ベッドだよ。
聴き手：（うなずく）
話し手：ヘッドボードがついてる。
聴き手：うん（うなずく）。

汎用の応答には、その時の話し手の話にのみ関係するような意味はない。単に、「話を聴いていますよ」ということを伝え、話の続きを促すだけのものだ。

特殊な応答は、その時の話し手の話に直接結びつく感情を表現する応答である。次に特殊な応答の例を三つあげる[26]（最初の二つは非言語的な応答だ）。

Narrator: He flipped his truck over, over an embankment.
Listener: (facial display of concern)
話し手：彼はトラックを横転させた、土手の上で。
聴き手：（心配そうな表情をする）

Narrator: No one was around, and he said "Get in the car."
Listener: (facial display of fear)
話し手：周りには誰もいなかった。そして彼は「車に乗れ」と言ったんだ。
聴き手：（なんと恐ろしい、という表情をする）

Narrator: I, like an idiot, decide to climb up the cliff instead of...
Listener: ...going up the road
Narrator: ...taking the easy way out and going up the road.

話し手：僕は、バカげているんだけど、崖を登ることにしたんだ。本当は……
聴き手：……道路を歩く方がいいよね。
話し手：……そうその方が簡単なのに、あえて道路は歩かなかったんだ。

このような特殊な応答によって、聴き手は、話し手の話が劇的で感情に強く訴えるものであることを表現している。

話し手と聴き手の息が合わないと

どちらの応答をするにしても、聴き手の負担は大きい。話の進行を注意深く聴いた上で、適切なタイミングを選んでいずれかの応答をしなくてはならないからだ。バヴェラスらは、聴き手も応答している瞬間は話し手の一人になり、語られる話をより明確にすること、話の価値を上げることに貢献していると考えた。話し手は、聴き手の存在がなければうまく話ができないのではないかとも考えた。話を進めるのに協力してくれるだけでなく、時に共に語ってくれる聴き手の存在が語りには欠かせないということだ。語りには聴き手の行動が不可欠であり、聴き手が話に集中せず、注意が逸れることがあれば、それは即、語りの質の低下につながることになる。

その考えが正しいかを検証するため、バヴェラスらは、語りを聴く際の行動に関し、聴き手ごとに違う指示をした。何もせずただ聴いているよう指示したこともあれば、別の作業をする指示をしたこともある（どういう指示をしたかは話し手には知らせない）。たとえば、ある聴き手には、語りが続いている間、頭の中で数を数えるよう指示した。クリスマスまでに平日が残り何日、休日が残り何日あるか数えるよう言ったのだ。そうすると、聴き手は話だけに集中できなくなる。他には、話し手が〝t〟で始まる語を使う度に机の下に隠したボタンを押すよう指示された聴き手もいる。この場合、聴き手はたしかに話に集中はするが、集中する理由は別のところにあるわけだ。

この指示は二つの大きな影響をもたらした。一つは、聴き手の行動にもたらす影響だ。聴き手の注意が話から逸らされたことで、聴き手の応答は減少した。特に減少したのは、特殊な応答、話し手の話に直接結びつく感情を表現する応答だ。通常の状況であれば、聴き手は、二七秒に一回、特殊な応答をするのだが、〝t〟で始まる語を使う度にボタンを押すよう指示された聴き手は、特殊な応答をほとんどしなくなった。特殊な応答の頻度は一二・五分に一回にまで低下したのだ[27]。

もう一つは、話し手の行動にもたらす影響である。聴き手の注意が逸れると、話し手の語りの流暢さ、質が低下することがわかった。聴き手が適切なタイミングで適切な評価を話し手に伝えれば、話はうまく盛り上がり、正しく完結することができる。しかし、この実験の場合のように聴き手の注意が逸れていると、話し手は「話は今のところうまく進んでいます」という信号を必要な時に受け取れない。

その場合に起きることがいくつかある。まず、話が引き延ばされる。「落ち」の部分に何度も戻るせいだ。また、話が途切れ途切れになり、流れが悪くなる。話し手は話しながら、ためらっていることを知らせる信号（"Uh"、"Um"など）を多く発するし、話す速度は何度も変わる。話が止まり、沈黙が続いてしまう場面も多くなる。さらに、この場合、話し手は、自己弁護をしようとし始める。自分の話は本来、死にそうになった体験をうまく伝えられるもののはずで、それがうまくいかなかったのは、聴き手が正しく反応しなかったせいだと訴える。まるで話がうまくないかのような、大してすごくないかのような反応を聴き手がしたのが悪いと訴えるのである。

次にあげる例では、話し手が木こりとして仕事をしていた時の出来事について話している。木が、彼のいた場所に向かって倒れ始めた。脇に避けることができなかったので、まっすぐ前に向かって走り出した。急いで走れば、倒れる木から逃げられると思ったのだ。実際の話は次のようになっていた。

So this tree's falling, falling. And he was ahead of me, and I was behind, and just the end of the tree clipped my foot. And it felt like, like a *whip* hitting my foot.

ということで、木がどんどん、どんどん倒れてくるんです。それで彼は私より前にいて、私は逃げ遅れていました。結局、木の端が私の足に当たりました。まるで、まるで足を**むち**で打たれたようでした。

これはまさに話の山場、盛り上げどころである。あわや大惨事という瞬間を話している。その瞬間を話すために長い時間をかけてきたのだ。背景から順に話し始め、いよいよ結論に向かう、というところである。しかし、ここで問題が起きた。聴き手はテーブルをはさんで向かい合わせに座っており、表面上、熱心に話を聴いてくれているように見えたが、実は、〝t〟で始まる語が使われる度にテーブルの下に隠したボタンを押すよう指示されていたのだ。そのせいで、聴き手は話し手からの重要な信号に気づかなかった。これから話は山場に入る、という信号である。

そこが山場だとわかっていれば、聴き手はそれにふさわしい応答をしなくてはいけなかった。すごい話であることが伝わっていますよ、という信号を出す必要があったのだ。その信号がないため、話し手はうまく話を締めくくれない。話し手はその後、迷走を始めることになった。

And so uh after I, I mean, I saw it fall we both go diving into the thing because we knew—I mean, I don't know how exciting that is but afterwards, uh, I mean, we chuckled about it at lunch. Cause it's always funny if you don't get landed on, sure it was a hoot but [stylized laugh]. Um. I just thought that was, uh, that was funny that, uh. Like *usually*, the easy way to go out is to go to either side, and that way it'll fall and you're on either side. But since we had no escape route, we knew it was coming at us, so we had to run for our lives basically, which puts a little excitement into the job too, cause it's fun, rappelling down trees and stuff and, and what-not. So...that's all!

それで、あのー、私が、その、私は木が倒れるのを見て、私たちはどちらも倒れ込んだんです。なぜって——いや、あのですね、この話、そんなにすごい話なのかどうか、よくわからないんです。あとでね、あのー、お昼食べてる時に、この時のこと話して笑ってたくらいですから。結局は大事に至らなかったことって後から思い出すとおかしいですよね。まあ、間違いなく笑い話になってしまうというか［力のない笑い］。えーと、まあ、だから、これは、あー、面白い話ではあるかな、と。あー、**普通**はね、脇に逃げれば簡単じゃないか、と思うでしょうけど、木がこちらに倒れて来るわけだから、私たちは脇に逃げればいいと。でも、その時の私たちはそれもできなかったから、自分たちの方に来るってわかっていたんですけど、結局はただ、必死で逃げるしかなくて。そこがまあ怖かったといえばそうですね。でも、笑い話かもしれませんね、木が倒れて来てね、無事に逃げたよ、という。はい……それだけです！

話は腰砕けになってしまったわけだが、うまくいかなかったのは話し手の責任ではない。チームワークに問題が起きたのが原因だ。この実験からわかるのは、聴き手の応答——これは交通信号と同じような役割を果たす——が、話し手の言語運用に大きな影響を与えるということだ。この事実から会話機械が一人語りにおいても機能しているとわかる。一人語りというと、どうしても、一人ですることだと思われがちである。一人語りというくらいだから、確かに表面上は一人でしていることのようだが、実際には、聴き手も終始、重要な貢献をしているのである。聴き手の行動が語り手にフィードバックされることで、語りの質の向上につながる。一人語りであっても二人（かそれ以上）の人が関わり、話し手と影響し合うのだ。皆で共同して、会話機械がうまく機能する条件を整えるのだと言ってもいい。

偶発的な出来事に対応する能力

これで、会話機械の主たる要素が明らかになる。それは、いわゆる「社会的随伴性」に関わる認知能力である。人間に特有の能力だ。人間は、会話の際に、周囲の動向に対する認知能力が異常なほど高くなる。そして、中でも特に重要なのが、偶発的な出来事の発生に関心を持ち、そうした出来事を察知し、出来事の結果に自分を合わせていく能力だ。会話は、チェスなどと同じように人間の行動の連続から成り立っていると考えることができる。人が何か行動する度に、それに対する応答の条件が設定される。次に行動する人はその条件の下でしか動けないのだ。もし、行動の内容が異なっていれば、設定される条件も違ってくるし、次に取れる行動も違ってくる。つまり、すべての行動は他人の偶発的な直前の行動に「随伴する」わけだ。会話に参加する際には、偶発的な出来事を常によく認識し、それに合わせることが重要ということだ。

このように、偶発的な出来事への感受性と、社会的相互作用への依存が、人類すべてに共通する会話機械の主要素となっている。私たちが日頃何気なくしている会話は、それによって成り立っているわけだ。確かにそうであるという証拠は、子供の成長期の社会的交流についての研究から得られている。キャロリン・ローヴィー＝コリアーとデヴィッド・ローヴィーは、乳児を対象とした簡単な実験を行い、偶発的な出来事に対応する能力はすでに生後二ヶ月の段階で備わっていることを突き止めた(28)。

二人の実験では、生後二ヶ月の乳児をベビー・ベッドに寝かせ、そこからよく見えるところにカラフルなモビールをつるした。当然のことながら、乳児たちは、モビールが止まっているよりも動いている時の方が嬉しそうな反応をした。この実験では、条件を二通りに変えて、それぞれで乳児のモビールへの関心の強さがどう変わるかを見た。まず、柔らかい絹のひもを乳児の足首にくくりつける。そして、乳児を二つのグループに分け、一方のグループではひもをモビールにつないで、乳児がモビールを動かせるようにする。つまり、モビールが動いたのを見て喜んで乳児が動くと、さらにモビールが動く、というふうに楽しい刺激が強化されていくということだ。もう一方のグループでは、ひもを乳児の足首にくくりつけはするが、モビールにはつながない。それでもモビールが動く時はあるが、その動きは乳児の足の動きとなんの関係もない。

どちらの条件でも、乳児はカラフルなモビールが目の前で動くのを見る。もちろん、どの乳児も関心を示す。しかし、乳児の身体の動きがモビールの動きに影響を与える場合は、単に関心が強くなり長く持続するだけでなく、足の動きの強さ、動かす頻度は三倍にもなる。それだけ動きに積極的に関与しようとするということだ。

この実験結果によって、生後二ヶ月の乳児でさえ、周囲の世界に影響を与えられる自分の能力を察知して、それを利用できるということがわかる。この能力はただ楽しいだけのものではない。乳児が因果関係というものを理解する基礎となるだろう。また、こういう体験を通じて、世界に働きかけ、世界を自分の意思で動かすということを学んでいくのだろう。乳児は、早いうちから、周囲の偶発的な出来事とうまく関係する能力を持っている。出来事どうしの依存関係——自分の足が動くと、上に見えるモビールが動いて楽しい、というような——も理解できる。

偶発的な出来事に対応できる能力は、物理世界に適切なはたらきかけをする上で重要だが、それがすべてではない。他人との円滑な関係にとっても欠かすことのできない能力である。生後わずか二ヶ月の乳児であっても、大人と関わっている時には、その時々に相手の偶発的な行動を目にし、互いの行動が互いに影響を与えるのを目にすることになるだろう。乳児と大人は互いに見つめ合い、お互いの感情を表現し合うだろう。それは、乳児と、揺れ動くカラフルなモビールの関係と同じである。乳児の行動を見て、大人はそれに合わせた反応をする。すると、大人の反応を見た乳児はさらにそれに合わせた反応をする、ということが繰り返される。

この時、二人の間で意思の疎通がなされていることは間違いない。二人はただそばにいるだけではないし、単に相手の行動の対象になっているわけでもない。お互いがお互いの行動に関わり合っている状態になっている。二人はいわば、協力し合って一つのことをしているのだ。つまり、哲学者のジョン・サールやマーガレット・ギルバートが共同行動について言っていることがこの場合にも当てはまるわけだ。共同行動をする二人は、自分たち二人が何かをしていると感じており、決して自分ひとりが何かをしているとは感じない。そう感じられる能力こそが会話機械の根幹だとも言える。

発達心理学者のリン・マレー、コルウィン・トレヴァーセンは、生後二ヶ月の乳児とその母親を対象にした有名な実験により、両者の間の関わりが互いの偶発的な行動によって大きく影響されることを確かめた[29]。この実験では、母子をそれぞれに別の部屋に入れ、どちらにも、お互いの実物大の姿が映るスクリーンを見せる。スクリーン越しではあるが、どちらもお互いの姿が見え、声は聞こえる。実験では母子を二つのグループに分け、それぞれに条件を変える。一方のグループは、互いの「ライブ」の映像が見られる。現在の姿、声をリアルタイムで受け取れるのだ。しかし、もう一方のグループでは、（事前にそうだと知らせはしないが）母が見る子の映像はライブではなく録画されたものである。音声も録音されたものになる。

どちらのグループでも、母子はお互いの姿を見て、お互いの声を聴いていた。しかし、行動には、二つのグループの間で違いが見られた。「ライブ」でお互いの様子がわかるグループでは、当然のことながら、母親の行動に、乳児が直接、反応をすることになる。その場合、母親の行動は、乳児のその時の反応に合わせたものになっていく。話し方はいわゆる赤ちゃん言葉になるし、文は短くなり、繰り返しが多くなるし、感情の表現が豊かになる。

乳児の姿がライブで見られないグループでも、母親はそのことを知らされていないので、あくまで乳児の現在の姿を見ていると信じて行動をする。しかし、乳児が自分の行動に合った反応をしないため、子の反応に合わせて母が行動を変えていく、という現象は見られない。母親の言葉は、相手が生後二ヶ月の乳児なのにもかかわらず、大人に話すのと変わらない。この結果から、マレーとトレヴァーセンは、子の反応が母親の話し方に大きく影響を与えていると考えた。赤ちゃん言葉が、子の反応に影響を受けて出るものだからこそ、子からの適切な反応が得られない時には出ないというわけだ(30)。ライブで子の姿が見られない時の母親の行動からそれがわかる。

マレーとトレヴァーセンがこの実験をした当時、母親と乳児のやりとりは本物の対話ではない、というのが研究者の間での一般的な見解だった。乳児は母親の行動に反応しているわけではなく、ただ、でたらめに動いているだけであり、それでも対話をしているように見えるのは、母親がうまく隙間を埋めてそれらしい流れを作り出しているからだ、と考えられていたのだ。だが、もし本当にそうなのだとしたら、マレーとトレヴァーセンの実験でも、子のライブの姿を見られるグループと見られないグループで母親の行動に差は見られないはずである。たとえ録画された映像を見たとしても、母親はライブの映像を見た場合と同様の行動を取るはずだ。しかし、実際には、乳児は母親の行動に対した適切な反応ができることがわかった。その反応によって両者の対話は流れのある首尾一貫したものになる。乳児の反応は母親の話し方にまで影響を与える。乳児の側も積極的に参加していると言える。

マレーとトレヴァーセンの実験からも、人間どうしが関わる際に、いかに互いの偶発的な行動に影響されるかがよくわかる。会話機械はその時々の相手の行動に合わせて機能するのだ。会話中にどちらかが何か行動を取れば、即、もう一方はそれに反応をする。すると、その反応がさらに相手の次の反応を誘発する。母親と乳児の対話もごく簡単なものだとはいえ、大人のする会話と基本的にはまったく同じだ。両者は協力し合い、力を合わせて成果を生む。両者は共同行動を取り、いずれもがその中で自分の役割を果たす。互いの偶発的行動に反応し合い、二人は一つの同じ機械、同じシステムを構成する部品のようになる。

生後二ヶ月の乳児を対象としたこの実験と、先に触れた「死にそうになった体験」を語ってもらう実験とで、結果に類似性があることに注目して欲しい。先の実験でも、聴き手の注意が話に向いていないと、本来、聴き手が発するはずのかすかな信号を発することができない。これは、一人語りをしている話し手の行動に直接、影響を与える。まず、話し方が流暢ではなくなってしまう。行きつ戻りつして、何度も同じことを話す。話の一番盛り上がるところで盛り上げることができず、あとは自己弁護をし、すでに話したことに余分な説明を加えるばかりになる。

こうなるのは、たとえ一人語りであっても、聴き手の協力で成り立つものであり、聴き手は表面上、聴いているだけのように見えても実はそうではないからだ。録画された乳児の姿を見ている母親についても同様のことが言える。乳児は言葉を話さないが、母親の行動に適切に反応することで対話を成り立たせており、その反応がなくなればまともな対話はできなくなる。聴き手や乳児のはたらきを阻害する実験をすることで、逆にそのはたらきの重要さが明らかになる。

「えーと」は道徳的な意味を持つ

母子の対話についての実験、一人語りとその聴き手についての実験によってわかったのは、会話に必要なのは行動の同期だけではないということだ。行動の同期は人間以外の多くの動物に見られる。イルカのように、複数の個体が緊密に協調し合って社会的な行動を取る動物もいる。[31] たとえば、特定のメスたちと交尾できる状態を保つために、複数のオスが協調して行動することがある。その場合、オスのイルカたちは、互いにそっくりな行動を取る。泳ぐ時や食べる時の動きが同じになるし、発する声も同じになる。

行動生態学者のピーター・タイヤックは、イルカの社会的信号と、人間の言語に見られる「アコモデーション（適応）」と呼ばれる現象には類似性があると考えた。コミュニケーションの研究者の多くが、人間は会話の際、話し方を相手に合わせようとするということを確かめている。[32] 真似する要素は多岐にわたる。たとえば、文の長さ、話す速度、声の大きさ、イントネーションのパターン、使用する方言、語句の選択、自己開示の程度、うなずきのパターンや頻度、話す時の身体の姿勢などだ。[33]

もちろん、人間も動物なので、他者と関係を結び、その関係を目に見えるようにするために、動物と同様の手段を取ったとしても不思議はない。しかし、ここに列挙したような要素に関して真似をするアコモデーションはイルカなどにも見られるものの、そのアコモデーションは、人間の会話を人間らしくしているものとは種類が違っている。会話中の人間どうしは単に相手に歩調を合わせて行動するだけではないからだ。人間は協力し合って何かを作ろうとする。そのため、互いに依存し合う関係になる。質問者は相手に応答を求めるし、噂話をする者はそれを喜んで聴く相手を必要とする。そして一人語りをする者も適切な反応をしてくる聴き手を必要とする。

互いの偶発的行動に反応し合う関係が会話の大きな要素であることは確かだろう。ただ、相手の偶発的行動に反応し合っているだけでは十分ではない。すでに書いた通り、会話という共同行動の参加者に責任と道徳的義務が生じることが重要だ。相互依存性に、責任や道徳的責任が組み合わさることで、人間に特有の会話が可能になったのだと言える。発達心理学者のマイケル・トマセロは、人間に特有の社会的認知や社会的交流の鍵になるのは相互依存だと主張している。[34] 相互依存は道徳の基礎でもあるだろう。人間どうしが相互に依存し合っているのだとしたら、それぞれに自分の役割を果たさなければ互いに困るので責任が生じるのは当然だろう。責任を果たさなければ道徳に反するとみなされるわけだ。

この章で取り上げた"Um"、"Uh-huh"や、"Oh"、"So"、"OK"といった簡単な言葉が道徳上重要な意味を持つなどと言えば、それは強引ではないか、と思う人もいるだろう。だが、まさにこれこそ私が言いたいことだ。こうした言葉は名詞や動詞のような「立派な」言葉ではないかもしれない。[35] 事物を指し示すわけでも、出来事について説明するわけでもないが、会話の中での手続きに関わる欠かせない言葉なのだ。

"Uh"、"Um"、"Uh-huh"、"OK"などの簡単な言葉は、言葉の流れを制御する一種の信号の役割を果たす。人間が会話の際に一定の規範に従っており、互いに協力し合おうとすることは、こうした言葉が存在し、機能していることからもわかる。前提となる規範を守るという暗黙の了解がなければ、こういう言葉による信号が機能することはないだろう。人間に規範を守り、道徳的責任を果たそうとする意思があるからこそ、信号を利用して言葉の流れを制御することができるのだ。

第六章　質問と答えの関連性

人間は質問への応答が直前の言葉に関連するはずと考える。直接回答していなくても言外の意味を推論し、協調して会話を進めるのだ

すでに見てきた通り、私たちは会話中の話者交代のタイミングを無意識に完璧に近いほどうまく調整している。また、前の章で見た通り、会話を滞りなく順調に進めるために私たちは様々な信号を発している。「遅れてはいるけれど、応答はしますよ」と伝える信号や、「あなたの話を聴いているし、ここまでは理解もできていますよ」と伝える信号などがある。こうした信号で相手を安心させることができる。会話機械は、進行中の会話の秩序を保つ機能を持っているはずである。何しろ、会話には「台本」というものがない。会話に参加している時、私たちは長く複雑な会話を即興で作り上げていかねばならない。タイミングの調整などもすべて即興である。会話は音楽で言うデュエット（二重唱）のようなものだが、単なるデュエットでは

なく、即興のデュエットということになる。

これがどういう意味なのかは、動物の「鳴き交わし」――これも「デュエット」と呼ばれることがある――と人間の会話を比較してみるとよくわかる。人間の会話、話者交代に似たことをする動物は数多くいる。一方が声を出し、もう一方がそれに応えて声を出し、また一方が、ということを繰り返す点においては確かに似ていると言えるだろう。たとえば、第三章で取りあげたマーモセットのフィーコールなどはその例である。「即興」と呼べるほどのことをしていないのは明らかだが、ともかく、マーモセットが一匹ずつ音を出すことは確かだ。ただ、マーモセットは単純に音を出しているだけで、その都度、タイミングや音の出し方を工夫しているわけではない。

霊長類は「会話」しているのか

霊長類の中には、より高度な鳴き交わしをする種もいる。フクロテナガザルは、主にスマトラ島や、マレーシア半島に見られるテナガザルで、樹上に生息している。フクロテナガザルは、オスとメスのペアで、大声で複雑な鳴き交わしをする。この鳴き交わしは、人間のデュエット――ソニー&シェールの「アイ・ガット・ユー・ベイブ」のような――とは大きく違っている。人間のデュエットの場合は、どちらがいつ歌うかはあらかじめ決まっている。終わり方も決まっていて、それに向かって各自、決められた通りに歌っていくだけだ。

図6・1は、二個体のフクロテナガザルの鳴き交わしのパターンを示したものである（鳴き声のタイミングが明らかに重複している箇所もある）。一方の個体が声を出すと、もう一方が

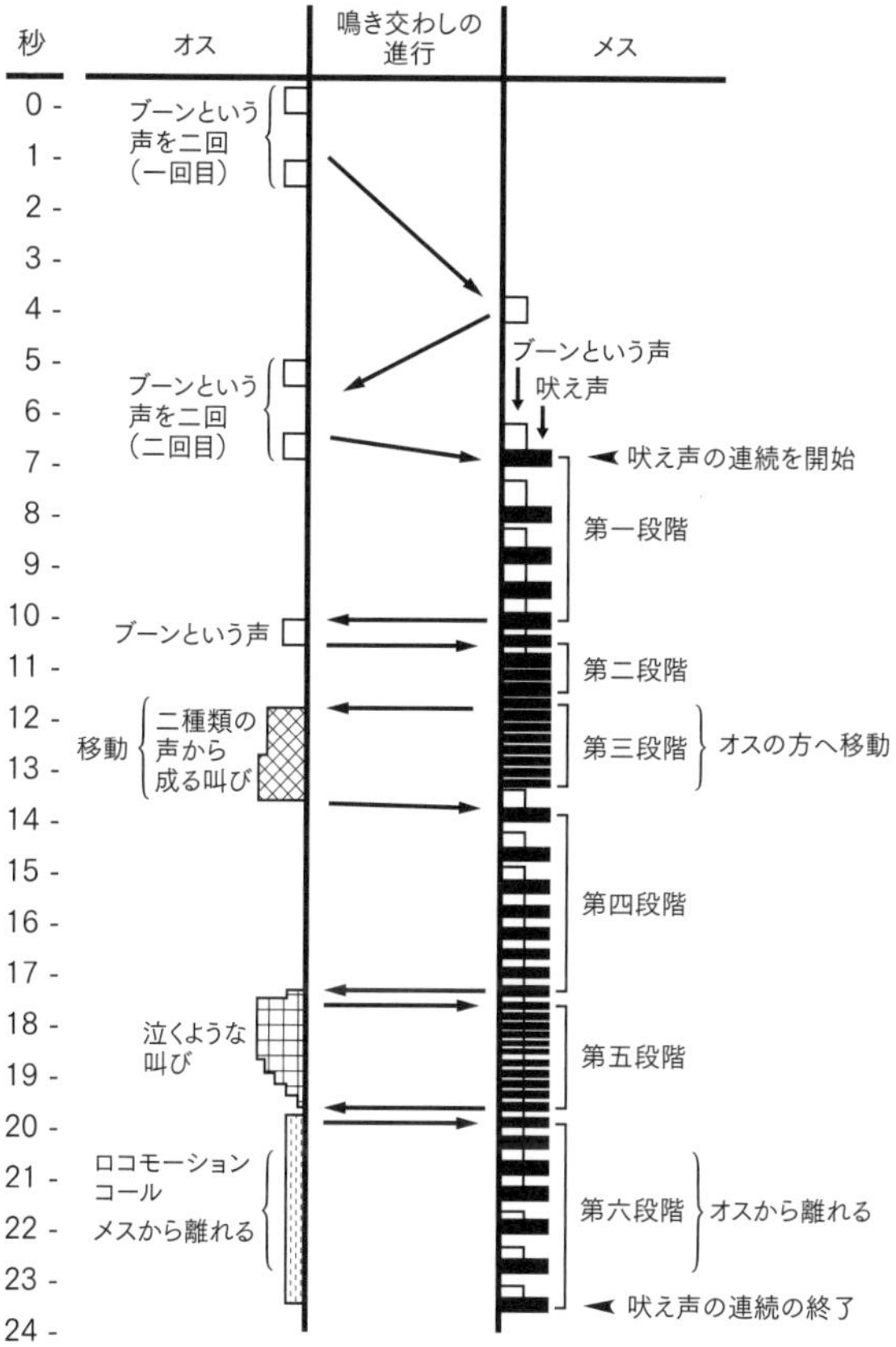

図6.1　フクロテナガザルの鳴き交わしの記録。わかりやすいよう単純化し、鳴き方を種類別に分けてある。エリオット・H・ハイモフが1981年に記録した、フクロテナガザルの120回に及ぶ鳴き交わしから終わりに近い部分を抜粋した。声出し以外の行動も少し記録されている。
出典：ハイモフの1981年の論文、141ページ

それに応えて声を出している。鳴き交わしは何度か繰り返された後、やがて終了していく。[1]二個体のフクロテナガザルが鳴き交わしの際にそれぞれいつ、どう鳴くかはあらかじめ決まっているわけではないが、お互いにその都度うまくタイミングを合わせ、鳴き方も相手に合わせて変えていく。お互いに適切なタイミングで鳴き合いながら、協力し合って終わりに向かう。

だが、フクロテナガザルの鳴き交わしは人間の会話とはやはり大きく違っている。サックスらも言う通り、人間の会話の大きな特徴は、まず特に台本があるわけではないということだ。私たちは日頃、何ら苦労することなく会話をすることができるが、これは、会話がいつまで続くのかがわからず、互いに何をどのような順序で話すのかも事前にはまったくわからない、ということを考えれば驚異的なことである。

フクロテナガザルのデュエットで、どちらか一方が鳴くべき時に鳴かなかったとしたらどうなるか。ただ、デュエットがそのまま終わるだけである。このことだけでも、この小型類人猿の行動が、人間の会話における話者交代とは大きく違っていることがわかる。期待されたタイミングで適切な声を出さないなどの問題が生じれば、単純にその場でやりとりが終了するだけだ。しかし、人間の会話ではそうはならない。その場合でも、主に二通りの方法で会話を継続することができるからだ。一つは、ルールに反した行動を取った時に、「自分には変わらず会話を続ける意思がある」と知らせることだ。もう一つの方法については次の章で詳しく説明する。会話には、途中で生じた問題を修復する手段があるのだ。私たち人間は、会話の際に相手の行動に何か抜けがあれば、お互いに指摘し合うことができる。不適切な行動を取った相手に制裁を加えることもあるし、期待した応答をするよう相手を促すこともできる。

図6.2　ボノボの子は手首を曲げるジェスチャーを母親のヤサに見せ、自分を抱き上げてくれるよう頼む。
出典：ロッサノの2013年の論文、167ページ

人間に最も近い霊長類――チンパンジー、ボノボ、ゴリラ、オランウータンなどの類人猿――は、人間のような声による会話の行動を一切、取らない。マーモセットやフクロテナガザルのような行動さえも取らないのだ。ただ、こうした類人猿の場合は、複数の個体どうしが高度なやりとりをすることがわかっている。互いに相手の偶発的な行動に適切に対応し、やりとりを長く継続させる。相手が期待した行動をしない時にはそれを催促することさえある。この行動は、連続的であり、互いに相手の行動に意味のある応答をしている点で、私たち人間の会話に非常に近いと言える。

認知科学者のフェデリコ・ロッサノは、ボノボの母子のやりとりについて調べた。特に注目したのが、ボノボの子が母親に自分を抱き上げさせるというやりとりである[2]。図6・2は、フィミという子とヤサという母親の間のそうしたやりとりを描いたイラストだ。

この図にある通り、このやりとりは大きく三つの段階に分かれる。まずフィミが母親を見つめる（図6・2a）。そして母親が自分を見てくれるまで待つ。次に、母親が自分を見たら、フィミは自分の手首を曲げるジェスチャーをする（図6・2

b)。これは、ボノボの子が「自分を抱き上げて欲しい」と母親に頼む時によく見せるジェスチャーである。次に母親は、要望に応え、フィミを抱き上げる(図6・2c)。

ロッサノは、このやりとりは、人間の会話と同じくらいに秩序立ったものだと主張している。重要なのは、ボノボの母親が子の望む行動――子を抱き上げる行動――を取らなかった場合に、子の側は母親が応えてくれるよう催促するということだ。たとえば、手首をいったん元に戻して、再度、手首を曲げるジェスチャーをし直す、といったことをするわけだ。これに対し、フクロテナガザルの場合、期待された行動を一方が取らなかったとしたら、単にやりとりがそのまま終了するだけで他に何も起きない。

ボノボに関しては、やりとりの際のお互いの行動のタイミングにも注目すべきだろう。フィミが手首を曲げるジェスチャーをしてから、ヤサがフィミを抱き上げるまでの経過時間は非常に短い。ロッサノが計測したところ、その時間は二〇〇ミリ秒未満だった。つまり、人間の会話で話者交代に要する平均時間とだいたい同じだったのだ。ロッサノは、「手首曲げと抱き上げ」をはじめ、類似の行動について経過時間を数多く測定したが、結果は概ね同じだった。

ボノボの母子のやりとりも、マーモセットやフクロテナガザルの鳴き交わしも、人間の会話に似ていると言えば似ている。ただし、真の意味で人間の会話に似ているのは前者だけで、後者は表面的に似ているにすぎない。ボノボの母子のやりとりでは、それぞれの行動に意味があり、それによって、行動と行動の間に結びつきが生じている。同じことは人間の会話にも言える。人間の会話でも、それぞれの言葉、行動にはその会話に関わる意味がある。単純な、決まった種類の鳴き声を交換し合っているのとは違う。人間は会話の際、(マーモセットとは違い)

互いに何度も同じ言葉をやりとりするわけではない。また、（フクロテナガザルとは違い）一方の行動がもう一方の次の行動を決定するということもない。人間の会話の場合は、互いの言葉や行動のタイミングが細かく調整されるだけでなく、すべての言葉や行動に意味のあるつながりが生じる。そのおかげで、台本などなくても首尾一貫した会話が成り立つ。言葉や行動をつなぐ「接着剤」の役割を果たしているのが、「関連性」である。

応答は直前の言葉に関連しているはず

関連性は、人間の認知にとって非常に大切な要素である。(3) そもそも人間には、実際に関連がある、なしに関係なく、出来事の間に意味のある関連性を見出そうとする強い傾向がある。連続して起きた二つの出来事の間に関連性を見出さず、偶然続けて起きただけだとみなすのはかえって難しい。迷信の多くはその傾向のせいで生まれている。黒猫が前を横切るのを見たあとに、足の指をどこかにぶつけたら、黒猫を見たせいで足の指をぶつけた、と思う人が多いはずだ。

人間は会話の中で、この「関連性の原則」を絶えず利用している。認知科学者のダン・スペルベルとディアドリ・ウィルソンは、次のような例をあげている。(4)

Peter: Do you want some coffee?
Mary: Coffee would keep me awake.

ピーター：コーヒー飲む？
メアリー：コーヒー飲むと目が覚めるよね。

ピーターはYes／Noで答えられる種類の質問をしていて、メアリーはすぐそのあとに言葉を発している。人間の認知機能は、質問とそのすぐあとに続く言葉に関連性を見出すようにできている。メアリーの言葉は一見、質問への直接的な回答になっていないが、それでも関連性を見出そうとするのだ。人間はどうしても、誰かの言葉と、そのすぐあとに発せられた別の誰かの言葉との間に関連があるものとみなしてしまう。ピーターはただ何かをメアリーに言っただけでなく、メアリーに質問をしているので、その時点でメアリーには質問に答えるべき道徳的責任が生じている。そうした状況では、メアリーの言葉はピーターの質問に関連性があるだけでなく、ピーターの質問に答えるものになっているはず、とみなされる。

もちろん、メアリーの言葉の解釈には文脈も影響を与える。この時、メアリーが眠れなくなることを嫌がっているのが明らかであれば——この会話が夜遅くになされたのであればその可能性は高い——メアリーはピーターの質問に対し、事実上、Noと答えていることになる。また、反対に、メアリーが目を覚ましたいと思っていることが明らかであれば、この言葉は事実上、Yesの意味になるだろう。前者なのだとすれば、メアリーは直接、Noと言うのを避けるためにこう言っていると考えられる。相手の言葉を拒否するのは好ましいことではないので、避けられるものであれば避けたい（第四章を参照）。メアリーは、拒否する理由だけを述べて、Noの代用としている。そうすれば、ピーターは自分の真意を推し量ってくれるはず、と期待していわけだ。ピーターにそれが可能なのは、メアリーは自分の質問に関連性のあることを言うはずだ、という前提で聴いているからだ。

もしこれがフクロテナガザルの鳴き交わしのようなタイプの社会的交流なのだとしたら、メアリーが、ピーターの質問に対してＹｅｓかＮｏ以外のことを言った時点で終了してしまうだろう。しかし、人間の会話の場合は、お互いに相手の行動を最大限、「関連性のあるもの」として扱って解釈するよう努力する。言葉と言葉の間に関連性を見出す人間の能力は、高度な社会的知性に支えられている。ただ、近いタイミングで発せられた言葉をともかく何でもつなげようとする特性があり、実際にはまったく存在しない関連性を見出してしまうこともある。社会学者のハロルド・ガーフィンケルは、この点について「人は常に人の言葉や行動を理解する。ただし、言葉を発した人、行動を取った人の意図の通りに理解するとは限らない」と言っている。

ガーフィンケルが一九六〇年代にＵＣＬＡの精神医学科で行った実験からもそのことがよくわかる。(5)この実験では、被験者に対して事前に「新たな種類のカウンセリング治療を体験してもらう」と告げた。被験者には治療室で椅子に座ってもらい、カウンセラーは別室に座っていると言った。カウンセラーとは、マイクとスピーカーを通じてのみコミュニケーションをすることになる。被験者は、カウンセラーに対しては、Ｙｅｓ／Ｎｏで答えられる種類の質問だけをするよう指示される。新しい治療法では、カウンセラーはＹｅｓ、Ｎｏ以外の応答をすることが許されない、ということも知らせる。被験者の側は、各質問の背景について、どれだけ長く話しても自由である。

ここで被験者には一つ、重要なことが知らされていない。カウンセラーの発するYｅｓまたはNｏという応答は、実は被験者の質問とはまったく関連性がないという事実だ。カウンセラーは、単に、あらかじめ用意されたリストに従って、YｅｓかNｏを言うだけだからだ。質問に答えているのではなくて、リストをただ読み上げているだけということだ。

この実験の結果、わかったのは、カウンセラーの応答と質問との間に関連性がないことに気づく被験者がほとんどいないということだ。たとえ、応答と応答の間に矛盾があったとしても、なかなか気づかない。中には、同じ質問を違うタイミングで二回する被験者もいて、偶然、それぞれに応答が違ってしまうということもあった。

たとえば、被験者の中には一人、ユダヤ人の男子学生がいたのだが、彼は、ユダヤ人ではない女子学生とつき合い始めたばかりだった。そのことをどうもはっきりとは言わないものの、父親が快く思っておらず、彼はそのことで悩んでいた。質問も必然的にそれに関わることばかりになった。彼は、自分としてはその女子学生が好きなのだが、父親が認めていないと思うと不安だと説明した。男子学生は次のように質問した。

Student: Do you feel that I should continue dating this girl?
Counselor: My answer is no.
男子学生：このままつき合い続けてもいいものでしょうかね。
カウンセラー：答えはノーですね。

その後、この学生は、父親は口では交際を認めると言っているものの、やはり本心は認めていない気がする、と思ったので、基本的には同じ内容の質問をもう一度した。

Student: Should I still date the girl?
Counselor: My answer is yes.

男子学生：このままつき合い続けるべきでしょうかね。
カウンセラー：答えはイエスですね。

Ｙｅｓという答えが返ってきて、学生は驚いたが、その答えが偽物だとは考えなかった。問題が問題なだけにカウンセラーもあれこれ考えてこういう結果になったのだろうと想像した。

このように、実際にはランダムに応答が選ばれていたにもかかわらず、被験者たちは皆、カウンセラーが質問に合った妥当な応答をしたと解釈した。ガーフィンケルはこの結果に関して深く考察をしている。そして、人間にはタイミングの近い発言の間に関連性を見出す強い傾向があり、そのせいで実際には質問と無関係な応答でさえ妥当なものと解釈してしまうのだと考えた。世界中のあらゆる文化に見られる「占い」にも、人間のこの傾向が大きな影響を与えている。

占いには、自然の現象を観察し、その結果を、自分たちの抱える問いへの答えだとみなすものが多い。人類学者のデヴィッド・ザイトリンは、西／中央アフリカのナイジェリアとカメルーンの国境地帯に暮らす先住民族、マンビラ族の占いについて研究した。マンビラ族は、クモを使った占いを伝統としている。村人が何か問題を抱え、答えが必要な時には、この占いをするのだ。ガーフィンケルのＵＣＬＡでの実験と同じように、マンビラ族のクモ占いも基本的には、Ｙｅｓ／Ｎｏで答えられる種類の質問をする(6)。

まず、クモがいる地面の穴を何かの器で覆う。鍋を逆さまにして使うことが多い。鍋の中には、棒と石を入れておく。どちらもクモの出入り口のそばに配置するようにする。また、穴の出入り口には、それぞれに目印をつけた木の葉を何枚かのせておく。占う時は、鍋を叩きながら質問をする。すると、それに反応して穴からクモが出て来る。クモの動きによって、穴の上に置いておいた木の葉が動く。しばらくしたら鍋を取り除いて、中の様子を見る。そして、棒と石と木の葉の位置関係を、質問への答えだと解釈する。

マンビラ族は、ガーフィンケルの実験の被験者となったＵＣＬＡの学生と同じように、偶然の出来事を、質問への合理的な応答であると解釈しているわけだ。また、これもＵＣＬＡでの実験と共通しているが、マンビラ族は、クモ占いで矛盾する答えが得られたとしても、占いを無意味なものだとは考えないし、支離滅裂だとも考えない。あくまでもその答えを妥当なものであるとみなし、一見矛盾する答えの背後にある意味を推し量ろうとする。

言外の意味を推測する能力

もちろん、私たちの日常の会話の方向が、ランダムな言葉のリストや、クモが動かした木の葉の位置などによって決まるわけではない。ただ、相手の言葉はその時の会話に関連する妥当なものであるはず、という強い想定が常にはたらいていることは事実だ。そういう想定がないのだとしたら、なぜ、私たちが言葉の裏にある隠された意味を読み取ることにこれほど長けているのか、その理由を説明するのが非常に難しくなるだろう。人間の言語には無限とも言えるほどの表現の可能性があるので、相手が妥当なことを言っているはず、という想定がなければ、意味を理解するのは容易ではないだろう。

実際、相手の質問に対して、Ｎｏを伝える方法は無数に考えられる。先に例にあげた"Do you want some coffee?（コーヒー飲む？）"という質問の場合、メアリーは"Coffee would keep me awake.（コーヒー飲むと目が覚めるよね）"と言っている。この言葉がＮｏという返答として機能するのは、相手のピーターが頭を使って高度な思考をするおかげである。会話の言語とはそういうものである。行動に意味があるのはどの動物でも同じだが、直接的には無関係な行動によって意味を伝えられるのは人間だけだ。それは人間に、直接には表に現れていない相手の意思を推し量る能力があるからだ。

本書でもすでに見てきた通り、質問をする時や何か頼みごとをする時には、直接、それを口にしないことも多い。その場合、言われた側はすぐに言外の意味を察知する。例を見てみよう(7)。この例では、1のエディからマイクへの言葉が、それにあたる。エディは何をして欲しいか直接言っていないが、マイクには何を頼まれているのかがすぐにわかる。

1. **Eddy**: I was wondering whether you were intending to go to Swanson's talk this afternoon.
2. **Mike**: Not today I'm afraid I can't really make this one.
3. **Eddy**: Oh okay.
4. **Mike**: You wanted someone to record it didn't you.
5. **Eddy**: Yeah (laughs).
6. **Mike**: (Laughs) No I'm sorry about that.

1. **エディ**：今日の午後にスワンソンの講演あるけど、君は行くのかな。
2. **マイク**：いや、今日は無理だな。残念だけど、ちょっと行けそうもない。
3. **エディ**：あ、そうなんだ。
4. **マイク**：君、誰かに撮影して欲しいんだよね。
5. **エディ**：うん（笑う）。
6. **マイク**：（笑う）本当に申し訳ない。

ここでマイクがしているような推測は、普段から会話をしている人間にとっては実に簡単である。表面上、エディは単に、「君は講演に行くのか？」と尋ねているだけだ。しかし、会話において人間は常に、「なぜ、この人はこんなことを言うのか、目的は何か」と考えている。

相手の目的さえわかれば、はっきり言われなくても相手の言葉の言外の意味を察することができるのだ。

心理学者のハーバート・クラークは、会話での応答のしかたについて研究する中で、この点について詳しく考察した。クラークは次のような例をあげている。(8)

Is Julia at home?

ジュリアは家にいる？

この質問は何通りもの意味に解釈できるとクラークは指摘している。形式上は、単にYesかNoで答えられる質問になっている。もちろん、質問者は単に、ジュリアが在宅か否かを知りたいだけかもしれない。だが、これが電話で発せられた質問なら、間接的に「ジュリアを電話に出して欲しい」と頼んでいる可能性もある。そういう解釈になるのは、聴き手に言葉のその場での意味を推測する能力がある場合だけだ。電話でジュリアと話をするためにはまず、ジュリアが在宅であることが前提となる。それは先の例で、マイクに講演の撮影を頼むにはマイクが講演の場に来られることが前提となる、というのと同じだ。聴き手が相手の質問の意図を察知できれば、時間と手間が省ける。何も言わずにすぐに“I'll just get her.（呼んで来るよ）”と答えられるからだ。だが、聴き手が質問を文字通りの意味に解釈してしまった場合にはそうはいかないだろう。

クラークは、相手の言葉の言外の意味を推測する能力がどれほどのものかを確かめる実験を行った。この実験では、まず、パロアルトのレストランに一軒ずつ電話をかける。そして"Do you accept credit cards?（クレジット・カード使えますか?）"と尋ねていく。形式上これは、ＹｅｓかＮｏで答えられる質問なので、レストランの側は単にＹｅｓかＮｏで答えることもできる。しかし、クラークは、人間には高度な推測能力があるため、そういう答えが返ってくることは少ないと予測した。レストランは、質問者がそれ以上の対応を求めているという前提で答えるだろうと考えたのだ。

まず、電話をかけてきたからには、何か目的があるだろうとレストランでは推測する。おそらく、その店で食事をするか否かを判断することが最終的な目的であり、食事をするのは今夜かもしれない。判断のために、代金の支払いにどういう手段が使えるのかを知りたいのだろうとも推測できる。また、単にクレジット・カードが使えるだけでは不十分で、自分の持っているカードを使えるかどうかも気になるはずだ。自分の持っているカードが使えなければ意味はないだろう。(9) つまり、質問に対し、Ｙｅｓと答えるだけでは不十分であり、どのカードが使えるかまで伝えた方が相手は助かるし、重ねて自分の持っているカードが使えるかという質問をしなくて済むので効率的だと考えられる。

この実験では、電話をかけたレストランのうち半数以上が実際にその通りの対応をしてくれた。(10) この質問に対し、即、どのカードが使えるかまで答えてくれたのだ。質問者は「カードが使えるか?」としかきいていないにもかかわらず、そういう答えが返ってきたのである。特に、使えるカードが一種類しかない店の場合は、一〇〇パーセント、その対応だった。(11)

Caller: Do you take credit cards?
Restaurateur: We take American Express.
質問者：クレジット・カード使えますか？
レストラン：アメリカン・エクスプレスが使えます。

ほんの短い会話なので、一見、何でもないもののように思える。この質問と答えが合っていることはおそらく誰にでも簡単にわかるだろう。それは私たち人間に関連性を推測する能力が備わっているからだ。質問者は形式上、Ｙｅｓ／Ｎｏで答えるべき質問をしている。この質問を文字通りに解釈すると、レストランの方が質問に答えていないことになる。しかし、私たちは、この答えが妥当でないどころか、とても親切で効率的なものであることを即座に理解できるのだ。

心を読み、協力する

この場合、レストランの担当者は、会話機械の核となる二つの社会的認知能力を発揮していると考えられる。一つは、目に見える行動から相手の心を読む能力、真意、目的を推測する能力だ（「この人は、表面的にはクレジット・カードを使えるか否かを尋ねているだけだが、おそらくどのカードが使えるかまで知りたいに違いない」といった推測をする能力である）。二つ目は、会話の相手に進んで協力し、できる限り効率的で親切な応答をする能力だ。

他人に進んで協力するのは、人間に「他者指向」の本能があるためだと考えられる。この本能は人間特有のもので、進化的に最も近いはずの類人猿にも見られない。行動科学者のアリシア・メリスらは、人間の子供と、人間に進化的に最も近い動物であるチンパンジーを比較する実験を行った。その実験でわかったのは、人間の子供は五歳になると交代で何かをすることを覚え、それによってお互いに利益を得ることができるようになるが、チンパンジーにはそれができないということだ。チンパンジーの場合は多少、互いに協力し合おうとすることもあるが、それが長続きしない[12]。

私たち人間の一般的な認知能力——空間把握能力、分類の能力、因果推論の能力など——は人間に特有なものではなく、チンパンジーなどの類人猿にもあるとわかっている。それに対し、私たちの社会的認知の能力は、他の動物とは一線を画すものである[13]。他者の心情を理解する能力、大規模な社会ネットワーク内での複雑な関係を把握する能力、共通の目的のために互いに協力し合う能力、ルールを守らない者を罰する能力などは、人間が突出している。人間のような会話を他の動物がしない理由はここにあるだろう。

社会文化的な認知能力——他者の心を読む能力、関連性を推測する能力、社会関係に道徳的な義務を感じる能力——が人間の会話機械の核にあると思われる。こうした能力があるおかげで私たち人間の言語は他の動物とはまったく違ったものになっている。人間は、他者の心や、属している集団の文化的構造に同調することができる。また慣例に従って意味を読み取ることや、行動することなどもできる。それが私たちにとって、コミュニケーションなどの共同行動の際の共通の枠組みとなる。人間が歴史の中で伝統文化という複雑なシステムを作り上げることができたのもそのおかげだ。

言語もそうした伝統文化の一形態である。私たちがコミュニティごとの言語、文化の慣例から成るシステムを維持していけるのは、高度な「相互主観性」を持つことができているからだ。相互主観性を存続させるためには、私たちはミクロのレベルでの努力を絶えず続けなくてはならない。私たちの相互理解は常に崩壊の危険にさらされているので、それを食い止めるための手段が必要だ。会話には台本もなく、常に前へ前へと進んで行く。一言発するごとに話の方向は変化する。相手の言ったことを聞き逃してしまうこともあれば、相手の言葉の真意が本当に理解できたか確信が持てないこともある。だが、会話機械はそうした問題に対処する手段を適切な状況、タイミングで、手遅れになる前に提供してくれる。それは会話の「修復」という手段だ。これについては次の章で詳しく見ていくことにしよう。

第七章　会話の流れを修復する

言葉を聞き取れないなど問題が起きると、人間は「何？」「誰？」「え？」などの様々なキーワードを駆使して、会話を修復している

会話は次々に話者を交代しながら止まることなく続いていく。その間には、余計な雑音が入り込むこともあれば、注意が散漫になることも、言っていることが不明瞭でよくわからないこともある。会話の進行は速い。また、話者が交代すると、会話はどの方向に流れて行くかわからない。当然、途中で問題が発生することはある。相手の言ったことを聞き逃すこともあれば、何を言ったか理解できないこともあるだろう。使われた言葉が間違っていることもあるし、別の言葉と聞き間違えることもある。雑音で聞き取れないこともある。そういう問題は即座に解決しなくてはいけない。急がないと解決の機会はすぐに失われてしまう。

会話の途中で問題が発生した場合、その解決の作業は大きく二つの段階に分かれる。最初は、

問題が発生したことを察知し、解決が必要なことを知らせるという段階だ。そして次は、問題の箇所を修復して、実際に問題を解決する段階である。時には、すべての作業を一人の人が行う場合もある。問題発生の察知と問題箇所の修復の両方を一人でするわけだ。自己発見、自己修復ということである（第五章で例にあげた"First a bro―uh a yellow and a green disk〔まず、茶色――あのー、黄色ですね、それと緑の点があります〕"という発言をした人は、この自己発見、自己修復をしていることになる）。もちろん、問題を察知する人と、問題箇所の修復をする人が異なる場合もある。例を二つ見てみよう。どちらも電話での会話で言語は英語だ(1)。

A: Dipper't's there too.
B: Huh?
A: Dippert is there too.
B: Oh is he?

A：ディパートも来たよ。
B：何だって？
A：ディパートも来たよ。
B：ああ、そうなの。

A: Oh Sibbie's sistuh had a baby boy.

B: Who?
A: Sibbie's sister.
B: Oh really?

A：ああ、シビーのいもーとに男の子が生まれたんだよ。
B：え、誰に？
A：シビーの妹。
B：ああ、ほんとに？

どちらもよくあるパターンである。Aの人が何かを言うのだが、Bの人はそれに対し、何か新しいことを言って会話を前に進めるのではなく、直前の言葉で問題が発生していることを知らせて注意を喚起している。それでAの人は一つ前に戻って修復をしている。

ここにあげた二つの例で何が問題なのかは明らかだ。Bの人は相手が何を言ったのかをはっきりと聞き取れていない。この場合、Aの人がすべきなのは、先に言ったことの一部、あるいはすべてを、前よりも少し明瞭に、音の強弱や高低などに気をつけて言い直すことだ。それで問題は解決するだろう。何を言われたのかが理解できれば、Bの人は新しいことを言って会話を前に進めることができる。どちらの例でも、Bの人は、Aの人が修復をしたあと、改めて返答をしている。それによって「提示された情報を理解した」と相手に伝えているのだ。同時に、より詳しい情報を相手に求めることも多い(2)。

言語	**話されている地域**	**研究者**
チャパラ語	エクアドル	シメオン・フロイド
オランダ語	オランダ	マーク・ディンゲマンス
英語	イギリス	コビン・ケンドリック
アイスランド語	アイスランド	ローザ・ギスラドッティル
イタリア語	イタリア	ジョバンニ・ロッシ
ラオ語	ラオス	ニック・エンフィールド
アルゼンチン手話	アルゼンチン	エリザベス・マンリケ
標準中国語	台湾	コビン・ケンドリック
ムリンパタ語	北オーストラリア	ジョー・ブライス
ロシア語	ロシア	ジュリア・バラノワ
シウ語	ガーナ	マーク・ディンゲマンス
イェレ語	メラネシア	スティーブン・レヴィンソン

表7.1　私たちの「修復」に関する調査で対象となった言語一覧。どの言語についても、担当の研究者は約4時間分の自由な会話を採取し、文字起こしをし、細かく分析をした。その結果、修復に関する言語間の比較に使える50時間近くに及ぶ資料を得ることができた。出典：ディンゲマンスらの2015年の論文

ここでの例では、"Huh?"、"Who?"といった言葉が、問題解決の二段階――問題発生の察知（通知）と修復――の起点となっている。どちらの例でも、問題発生を察知し、知らせる人と、修復をする人は違っている。会話は人と人とが協力し合うことで成り立つ共同行動であることがよくわかる。問題を解決するという仕事に会話の参加者が共同で取り組んでいる。ケーキを二人の人で共同で作る際には、一方の人が小麦粉を容器に入れ、もう一方の人がかき混ぜるということがあるが、それと同じように、一方の人が問題への注意を喚起し、もう一方の人が修復をしているわけだ。

二つの例から、問題を察知する人と修復をする人が異なる場合は、ど

のような経緯をたどるかがわかる。Aの人は"Dippert's there too."と言った時点では、問題の発生に気づいていないと考えられる。問題に気づき、それを知らせているのはBの人だ。Bの人は、Aの人の注意を引き、修復が必要であることを知らせている。するとAの人は修復をして自分の義務を果たしている。

これは何も珍しい現象ではない。表7・1のように、私は多数の研究者と共同で、世界の一二の言語を対象に、会話での修復に関して調査を実施した(3)。

調査によって、問題を察知する人と修復する人が異なる修復作業は、どの言語でも頻繁に行われているとわかった。私たちの集めた二〇〇〇を超える会話サンプルでは、日常のくだけた会話では平均で八四秒に一度、この種の修復が行われているとわかる。この事実から、人間の言語について二つのことが言えるだろう。まず一つは——当然のことだが——言語は完全無欠ではないということだ。会話をしていると、一分もすれば何か問題が発生する。聞き落とし、言い間違い、表現のミス、発音の不明瞭といった問題が起きる。もう一つは、問題が発生した時にそれを無視する人は少ないということだ。わざわざ手間をかけてでも問題の発生を知らせ、修復を図ろうとする人がほとんどである。

強い修復と弱い修復

"Huh?"と"Who?"は、どちらも、会話中に問題の発生を知らせる際に使われる言葉だが、両者の間には大きな違いがある。それは明確さ、強さの違いだ。先の例の場合、どちらの言葉を使った人も、相手の注意を問題に向けようとしている点では同じだが、"Who?"と言った人の方が、“Huh?”と言った人よりも、何が問題なのかを明確にしている。

二つ目の例では、問題となった発言が形式上、完全な文になっている。ある人物に男の子が生まれたというニュースを伝える文だ。Bの人はそれに“Who?”と返すことで、二つのことをしている。一つは、Aの人が、件の人物について触れる際に問題を起こしたと伝えることだ。ただ、注意すべきなのは、Bの人は決して何が問題なのかを直接、言ったわけではないということだ。Aの人の言葉がはっきり聞こえなかったのかもしれないし、言葉の意味が明確にはわからなかったのかもしれない。たとえば、シビーの妹が一人ではなかったとしたら、そこをはっきりさせたいと思う可能性はある。

Bの人がこの言葉でもう一つ伝えているのは、「あなたの言ったことの大半は問題なく理解できています」ということだ。“Who?”と言ったということは、ともかく「誰のことかは明確にはわからなかったけれど、ともかく誰かに男の子が生まれたのはわかりました」ということである。相手にとっては、自分の発言のどこをどう修正すればいいのかがよくわかる。Aの人が、“Who?”を受けて、「男の子が生まれた」ということを繰り返し言っていないのはそのためだ。Aの人は、「誰に」男の子が生まれたかだけを、さっきよりも注意深く聞き取りやすいように言えばいいだけだ。それで「シビーの妹」とだけ言っている。次のBの人の発言を見ると、これで問題は解決したとわかる。“Oh really?”という発言から、ニュースが伝わったことが確認できるので、会話を先へと進められる。Bの人が問題が明確になるよう配慮したことで、会話の混乱は最小限に抑えられた。

一方、Bの人が“Huh?”（この発言は“What?〔何？〕”、“Pardon?〔何ですって？〕”などと変わらない）と言った場合はどうだろうか。この場合は、“Who?”ほどの明確さはない。何が問題なのか、という情報を一切、伝えていないのだ。また、“Who?”とは、「強さ」が違っているとも言える。“Huh?”の方は、“Who?”に比べると、修復を促す力は弱い。何を修復すべきかに注意を向ける力も弱い。そのため、先の一つ目の例では、“Huh?”と言われたあと、Aの人は前の発言をほぼそのまま繰り返している。ただし、“Dippert's there too.”を“Dippert is there too.”に変えて、少しだけ聞き取りやすくした。そのあとのBの人の発言によって、問題が解決したことがわかる。発言（“Oh is he?”）から、ニュースが伝わったと確認できるので、会話は次に進むことができる。

修復を促す発言にも、このように大きく分けて強弱の違う二つの種類があることに注意が必要だ。“Huh?”などは、何が問題かを明確にしない分、修復を促す力は弱い。この種の発言がなされた場合、相手は元の発言をほぼ単純に繰り返すことで対処することが多いだろう。一方、先の一つ目の例は、次のようになった可能性もあるだろう。

A: Dippert's there too.
B: Who?
A: Dippert.

A：ディパートも来たよ。
B：誰だって？

A：ディパートだよ。

"Who?"の方は、修復を促す力が強い。この発言をすれば、Bの人は、Aの人の言ったことをほとんどは理解できたけれど、すべて理解できたわけではない、と伝えることができる。この例の場合、Bの人は、とにかく誰かが来たことは理解しているが、正確に誰が来たのかは聞こえなかった、あるいは理解できなかったということだ。

修復を促す力が強い発言についてさらに詳しく見てみよう。この手の発言には二つの種類がある。一つ目の例は"Who?"だ。相手に具体的な情報、この場合は「言及されているのが誰なのか」という情報の提供を求める発言だ。他には、"When?（いつ？）"、"Where?（どこで？）"などもやはり同じ種類になる。もう一つは、相手に情報の提供を求めるというよりも、今、聴いたことに関して、自分の理解が正しいか確認するための発言だ。次のように、相手の言ったことを聞こえた通りに繰り返すのがその例だろう。もし、理解が正しければ、Aの人は単純に相手の発言を肯定すれば問題は解決する。

A: Dippert's there too.
B: Dippert's there too?
A: Yeah.

A：ディパートも来たよ。

B：ディパートも来たって？

A：うん。

修復を促す力が弱い発言と強い発言の間には重要な違いがある。それは、その発言をされた側が次にとり得る行動の自由度の違いだ。ここでの例の最初の行はこうなっている。

A: Dippert's there too.

A：ディパートも来たよ。

会話の流れは、選択の連続でできていると考えることができる。Aの人にこう言われたBの人には、次の行動に関して大きく分けて二つの選択肢があるだろう（図7・1を参照）。一つは、Aの人の発言を受けて、会話の流れを先に進める行動を取ることだ。その場合には、直近の相手の発言を理解したことを伝えることになる。少なくとも、理解したことが言外にわかるような行動を取るべきだろう。たとえば、次のように言えばいい。

A: Dippert's there too.

B: Oh is he?

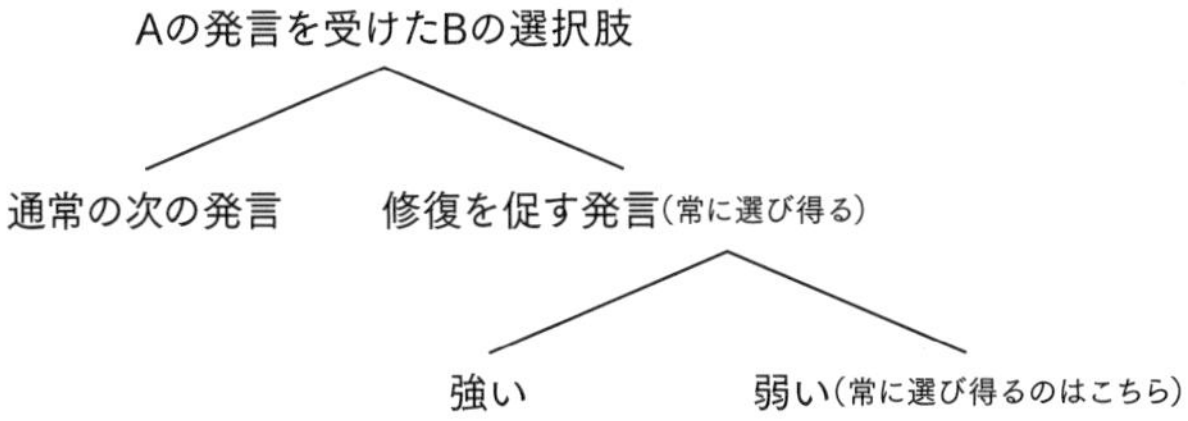

図7.1　会話の際に選び得る行動

A：ディパートも来たよ。
B：ああ、そうなの？

もう一つの選択肢――これは原則としていつでも取り得る選択肢だ――は、何らかのかたちで相手に修復を促す発言をすることである。ただし、修復を促す発言ならいつでもどれでも可能というわけではない。修復を促す力が強い発言と弱い発言があるが、そのうち、常に可能なのは修復を促す力が弱い発言だけだ。たとえば、問題が生じやすそうな状況での会話の場合、相手の言うことがまったく聞こえないことがあり得る。そういう時には、“Huh?”、“What?”、“Pardon?”といった発言をするしかない。修正を促す力が強い発言は、ふさわしい状況であると判断した場合にのみ意思を持って選ぶことになる。

会話は参加する人たちが協力し合って作るものなので、その流れを乱すことは参加する誰にとっても好ましいことではない[4]。修復を促す発言は、会話の流れをいったん止めてしまうだけでなく、流れを後戻りさせることになる。途中から戻ってやり直しになってしまうのだ。その損失はさほど大きくないとはいえ、修復が会話の流れを乱すことは確かである。

修復を促すのは、他人に負担を強いることでもある。そのため、何か言われて、修復を促す必要を感じた場合、相手への負担をできるだけ減らしたいと望むのは当然のことだ。その点から、"Huh?"と"Who?"を比較してみよう。"Who?"で修復を促した場合には、問題は効率的にさほど労力をかけずに解決できる。前の発言を丸ごと繰り返してもらう必要などもない。言及されている人の名前さえ言ってもらえばいいのだ。しかし、"Huh?"で修復を促した場合には、前の発言を丸ごと繰り返してもらう必要があり、Aの人に大きな負担を強いることになる。

弱い言葉と強い言葉をどう選ぶか

他人に修復を促す際には、このように二種類の方法が選べるわけだ。一方を選べば自分は楽だが、相手に面倒をかけることになる。それが"Huh?"などを使う方法だ。"Huh?"で修復を促す場合には、相手に具体的な情報を何も与えない。そのため問題が起きた場合にはいつでも使える方法ではある。相手は問題解決のため、前の発言を丸ごと繰り返すか、別の言い方で言い直すことになるだろう。もう一方を選ぶと、相手の負担を軽減できる。具体的に何をすればいいかを知らせるからだ。修正を促す力が強い発言をすれば、相手は、苦労せずに何が問題かを判断でき、少ない言葉で問題を解決することができる。

現実の会話で人が二種類の発言をどう選んでいるのかに関しては過去に調査が行われている。先駆的だったのは、社会学者のエマニュエル・シェグロフ、ハーヴェイ・サックス、ゲイル・ジェファーソンが英語を対象に実施した調査である。(5) この調査の結果わかったのは、発言の選択には一定の傾向が見られるということだ。人間は総じて、修復を促す力が強い発言の方を好む傾向があるようだ。

「弱い」方を選びかけて、途中で「強い」方に切り替える場合もある。たとえば次のような場合である。(6)

1. B: How long y'gonna be here?
2. A: Uh—not too long. Uh just till uh Monday.
3. B: Till—Oh y'mean like a week from tomorrow?
4. A: Yah.

1. B：いつまでいる予定なの？
2. A：うーんと——あんまり長くはいないね。えーと、月曜日までだから。
3. B：あ——じゃあ、明日から一週間って感じだね？
4. A：そうだね。

3で、Bの人は、Aの人の言ったことを自分が正しく理解しているか、確認をしようとした。それで最初は"Till—"と言いかけるのだが、すぐにやめて言い直している。おそらく、"Till Monday?（月曜日まで？）"、あるいは"Till when?（いつまでだって？）"と言おうとしたのだろうと思われる。いずれの言い方をしたとしても、Aの人に多少の労力が必要になる。この会話は日曜日になされたものだろうと想像できる。次の日が月曜日であることから混乱が生じているわけだ。だが、もし、Aの人の言う月曜日が翌日だったとしたら、普通は単に「明日」と言い、「月曜日」とは言わないだろう。Bの人も途中でそう考えて、単純に自分の理解が正しいか否かを確かめる“Y'mean like a week from tomorrow.（明日から一週間って感じだね）”という文に言い直した。この文は非常に具体的で、修復を促す力が強い。しかも、“Yah.（そうだね。）”という言葉だけで修復が済むので楽だ。この例からわかるのは、途中で言い直す時は、具体性や修復を促す力が元よりも高まるということだ。

シェグロフらの調査では、「弱い」方を使って失敗した場合に、「強い」方に切り替えることも多いとわかった。例を見てみよう。[7]

1. **Lori**: But y'know single beds are awfully thin to sleep on.
2. **Sam**: What?
3. **Lori**: Single beds. They're—
4. **Sam**: Y'mean narrow?
5. **Lori**: They're awfully narrow yeah.

1. **ロリー**：でも、シングルベッドって薄すぎて寝にくいでしょう。
2. **サム**：何？
3. **ロリー**：シングルベッドの話。あれって——
4. **サム**：狭い、って言いたかったの？

5. **ロリー**：そう、すごく狭いよね。

1でロリーは、“Thin（薄い）”という、この場面ではあまり使わない言葉を使っている。ロリーが何を言いたいのかは明確ではない。〝薄い〟というのは、マットレスの厚みのことを指しているとも考えられる。ベッドのフレームの幅のことを言う時に使う言葉ではないだろう。サムはまず、“What?”という漠然とした言葉で修復を促そうとする。ロリーはそれを受けて3で自分の言いたいことを明確にしようとするが、4でサムはそれを最後まで聴かずに、修復を促す言葉をもっと具体的なものに変える。そのおかげで、ロリーは詳しい説明をせずに、単に相手の言うことを肯定するだけで済んだ。この場合もやはり、修復を促す言葉は、「弱い」ものから「強い」ものへ、具体性の低いものから高いものへと変えられている。

心理学者のハーバート・クラークとエドワード・シェーファーは、イギリスの電話番号案内への七五〇件を超える問い合わせを対象に、この現象を調査した。問い合わせ者とオペレーターの間では、番号が正確に聞き取れたか、あるいは正確にメモを取れたかを確認するためのやりとりがなされることが多い。たとえば、次の例のような具合になる。(8)

1. **Operator**: Directory Enquiries, for which town, please?
2. **Caller**: In Cambridge.
3. **Operator**: What's the name of the people?
4. **Caller**: It's the Shanghai Restaurant, it's not in my directory, but I know it exists.

5. **Operator:** It's Cambridge 12345.
6. **Caller:** 12345.
7. **Operator:** That's right.
8. **Caller:** Thank you very much.
9. **Operator:** Thank you, good bye.

1. **オペレーター**：電話番号案内です。どちらの番号でしょうか。
2. **問い合わせ者**：ケンブリッジです。
3. **オペレーター**：ケンブリッジのどなたですか。
4. **問い合わせ者**：シャンハイ・レストランってお店です。電話帳には載っていないのですが、確かにあるはずのお店なんです。
5. **オペレーター**：ケンブリッジ１２３４５ですね。
6. **問い合わせ者**：１２３４５ですね。
7. **オペレーター**：はいそうです。
8. **問い合わせ者**：ありがとうございました。
9. **オペレーター**：ありがとうございました。それでは。

ここで重要なのは、5から7である。オペレーターは、求めに応じて、重要な情報——レストランの電話番号——を提供し、問い合わせ者は、自分の聴いた通りで正しいのかをチェックしている。チェックをしているのは6で、これは、修復を促す力が強い言葉になっている（すでに、「月曜日」や「シングルベッド」の例で見てきたのと基本的に同じだ）。そのおかげで、オペレーターは、単純に問い合わせ者の言葉を肯定するだけ（"Yah"、"Yeah"、"That's right"などの言葉）で問題が解決している。

では、もし問い合わせ者が、具体性に欠ける「弱い」言葉を使って確認をしたとしたらどうなるだろうか。[9]

5. **Operator**: It's Cambridge 12345.
6. **Caller**: Pardon?
7. **Operator**: It's Cambridge 12345.
8. **Caller**: Thank you very much.

5．**オペレーター**：ケンブリッジ12345ですね。
6．**問い合わせ者**：何ですって？
7．**オペレーター**：ケンブリッジ12345です。
8．**問い合わせ者**：ありがとうございました。

問い合わせ者は、"Pardon?"という具体性のない「弱い」言葉を使っているが、それでも問題の解決にはいたっている。最終的な結果は、言ってしまえば、事実上、同じである。問い合わせ者は、直後（7）に、自分の聴き取った番号が正しいという確認が得られ、会話は先に進んでいる。しかし、二つのバージョンには重要な違いがある。それは、7でオペレーターにかかる労力の大きさだ。一つ目のバージョンでは、オペレーターは、単に“That's right.（はいそうです）”と言って相手の言うことを肯定するだけでよかった。しかし、二つ目のバージョンでは、すでに発した言葉をそっくりそのまま繰り返さねばならなかった。

英語以外でも同じだろうか？

クラークとシェーファーの調査では、問い合わせ者が、具体性のない「弱い」言葉を使うことは比較的少ないことがわかっている。修復を促す際に“What?（何ですって？）”のような「弱い」言葉が使われるのは、全体の四パーセントにすぎないという。三分の二を超える問い合わせ者が、聞こえた言葉をそのまま繰り返すような、「強い」言葉を使い、オペレーターには、単にそれが正しいか否かだけを言ってもらうようにしていた。全般的に、問い合わせ者には、自分が選べる中でも最も「強い」言葉を選ぶという傾向が見られた。そうすれば、問題解決のためにオペレーターが負担する労力が最小限に抑えられる。クラークとシェーファーは、この調査結果に基づき、修復を促す人は常に最も「強い」言葉を選ぶ、という「最強促進ルール」があるのだと主張した[10]。

この傾向は、電話番号案内への問い合わせのような、「堅い」会話だからなのだろうか。そこを追求する価値もあるだろう。世界の一二言語を対象にした私たちの研究結果は、この点について知るのにも役立つ。私たちの研究では、日常のくだけた状況での会話を対象としたからだ。親戚、友人、隣人など、互いのことをよく知っている人どうしの会話だ。家の中や街中での自由な会話の中で、修復を促す言葉が使われた例を集めた。それでやはり、できる限り「強い」言葉を選ぶ傾向が見られるかを調べたのだ。

このように、常に具体性の高い、「強い」言葉で修復を促すことを好む傾向が人にあるのだとしたら、“What?（何ですって?）”や“Huh?（え?）”のように、具体性の低い「弱い」言葉を使うのは、他にどうしようもない時に限られるということだ。そう望んでも、具体性の高い「強い」言葉が使えなかったわけだ。相手の言ったことがまったく聴き取れなかった、注意がよそを向いていて聴いていなかった、まったく予期していないことを言われた、などの理由で、“What?（何ですって?）”や“Huh?（え?）”よりましな返事ができなかったのである。

私たちの一二言語を対象にした研究では、聴き取りや理解に問題が生じた場合、その原因は大きく三つの種類に分けられることがわかった。一つは、雑音による妨害である（たとえば、誰か別の人の言葉が重なった、ドアが強く閉められる音がした、など）。二つ目は、聴き手の注意が別のところに向いていたということだ（たとえば、話し手とは違う人と話をしていた、携帯電話を見ていた、など）。三つ目は、話し手の言葉が「質問」だったということだ（質問は、それまでに話されていたことと無関係なものになることが多い。そのため、聴き手の予期していない言葉になりやすい）。

私たちの研究では、この三つに同時に当てはまる例も見つかっている。このように複数の要因が重なって、相手の言葉を聴き取り、理解するのが困難になる最悪の状況では、聴き手は一〇〇パーセントに近い確率で、“Huh?（え?）”や“What?（何ですって?）”など具体性のない「弱い」言葉で修復を促すことになる。

具体性の高い言葉を使いようがないから使わない、というのはもちろん、当然のことだ。特に電話での会話では、他に方法がないのが普通だろう。しかし、電話以外の状況では、他に方法が見つかることもある。クラークとシェーファーの調査では、すでに見た通り、電話番号案内にケンブリッジのお店の番号を尋ねた問い合わせ者は、具体性の高い「強い」言葉を使っていた。「強い」言葉を使って、直近の相手の言葉についての自分の理解が正しいかを確認していた。対面でのごく普通の会話でも同様の傾向が見られるのだろうか。私たちは、それを一二言語を対象にした研究で収集したデータを使って確かめた。

収集した会話のうち、先に触れた三つの原因のいずれかで聴き取りや理解が阻害されていないものを対象にした。私たちはその種の会話を「デフォルト・ケース」と名づけた。このデフォルト・ケースについて、具体性の高い「強い」言葉で修復を促す頻度を見たのだ。その結果、聴き取りや理解が阻害されない良い条件の下では、全体の三分の二近くで、"Who?（誰？）"のように、具体性の高い「強い」言葉が使われていることがわかった。

先に触れた「シビーの妹」の例では、"Who?"という言葉が使われていたが、もちろん、もっと具体性の低い言葉（"Huh?（はあ？）"など）を使うことも不可能ではないだろう。修復を促すのに絶対に具体性の高い「強い」言葉を使わなくてはならない、という決まりはない。英語の会話と同じ傾向が他の言語でも見られるとは限らないので、他の言語について同様の調査をする意味はあるだろう。

英語を対象にした調査だけでも、人間の会話のだいたいの傾向をうかがい知ることはできる。

しかし、英語を対象にした調査の結果を世界中のあらゆる言語にそのまま当てはめていいとまでは言えない。英語の調査で見つかった原則が言語や文化に依存しないものなのか否かは、まだ完全に確かめられたとは言えないのだ。世界中には六〇〇〇もの言語があるのだから、英語での結果を安易に当てはめるわけにもいかないだろう。私たちの一二言語を対象にした研究の目的はこれに対応することだった。世界中の多数の言語のデータを集めることで、修復を促す言葉に関して、英語で同様のルールが守られているのか否かを確かめようとした。

私たちがまず確かめたのは、会話で「修復」が必要になった時の行動の流れが、他の言語でも英語と同じかどうかである。すると、対象となった一二の言語すべてに英語と同じ流れが見られることがわかった。何らかの問題が起きてからそれが解決されて通常の会話が再開されるまでの構造が、基本的にどの言語でも英語と同じだったのだ(11)。具体的には、次のような構造である。

問題の発生　　A: Dippert's there too.（ディパートも来たよ）
修復を促す言葉　　B:　Huh?（はあ?）
問題の解決　　A:　Dippert is there too.（ディパートも来たよ）
通常の会話の再開　　B: Oh is he?（あ、そうなの?）

このようなパターンはどの言語でも見つかる。ごく普通と言っていいほど多く見つかるのだ。
私たちが収集した合計四・五時間分の会話サンプルでは、平均で八四秒に一度、問題解決のた

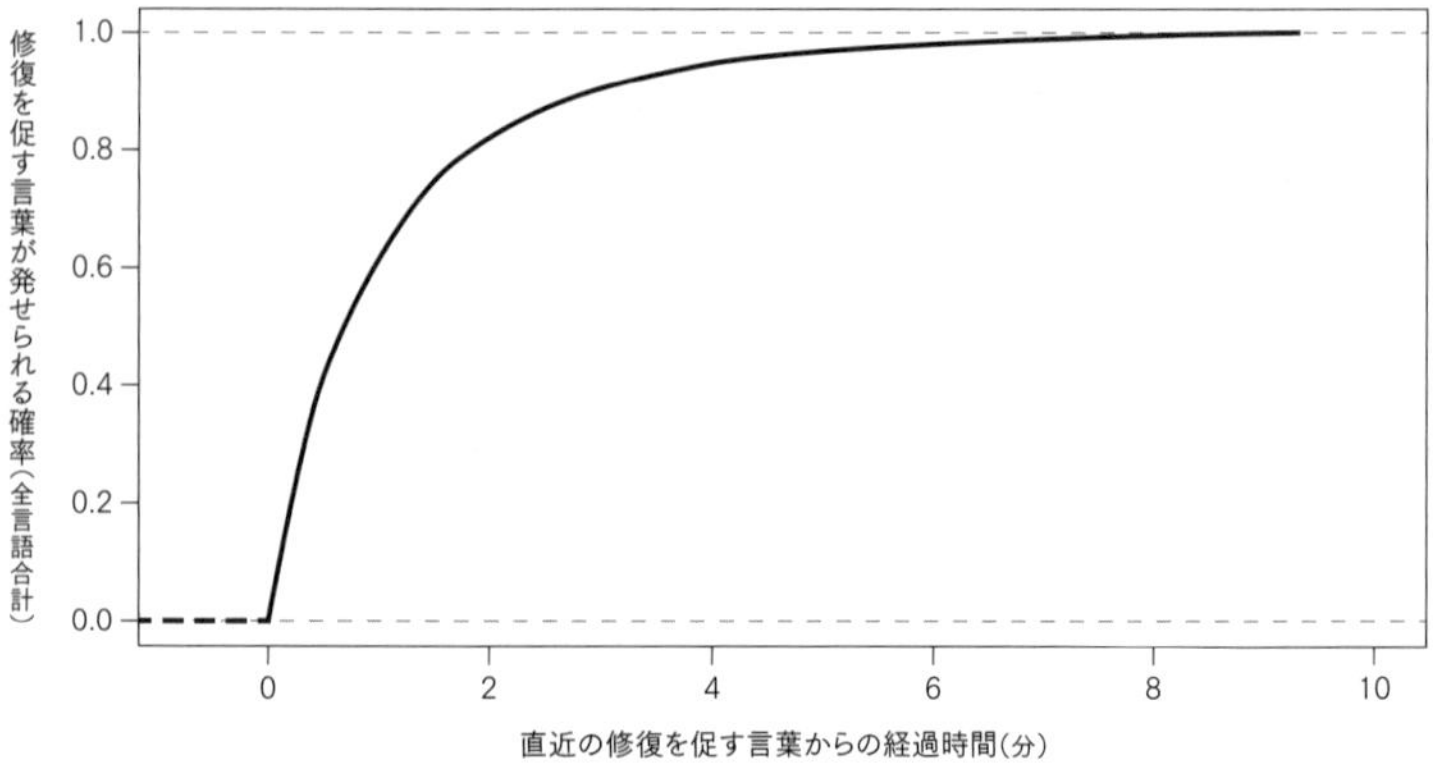

図7.2　経過時間による修復を促す言葉が発せられる確率の変化（全言語合計）。
出典：ディンゲマンスらの2015年の論文

めに誰かが会話の流れを止めていた。また、修復を促す言葉（他から独立したもの）の九五パーセントは、直近の修復を促す言葉からだいたい四分以内に発せられていた。私たちの調査結果をまとめたのが図7・2である。これを見ると、直近の修復を促す言葉が発せられてから時間が経つほど（時間の経過はx軸）、次の修復を促す言葉が発せられる可能性（y軸）が高まることがわかる。

このグラフは、私たちが収集したすべての言語のサンプルを合わせて作ったものだ。言語ごとに図を作ったとしても、わずかな違いはあるが、基本的には同様のグラフになる。たとえば、アイスランド語のサンプルでグラフを作ると、アルゼンチン手話よりもわずかに修復を促す言葉が発せられる頻度が低くなる[12]。

このグラフでは、修復を促す言葉のタイプは区別していない。私たちはまず、英語と同じように、「弱い」言葉（"What?〔何?〕"、"Huh?

〔はあ?〕〟など、相手に元の発言をそっくり繰り返させるような言葉）と、「強い」言葉（何について情報が不足しているかを具体的に知らせ、相手には単純な確認だけを求める言葉）の区別が他の言語にもあるかを調べた。その結果わかったのは、他の言語にも同じような区別は間違いなくあるということだ[13]。私たちが対象にした全言語に、同様の区別は存在した。ただし、細かい部分には言語ごとに興味深い違いが見られた。

まず、明らかに違うのは、修復の弱い促しに使われる語彙だ。言語には、修復の弱い促しに使える語彙が多数存在するのが普通だ。英語の場合は、大きく分けて三種類の言葉が使える。一つは、〝Huh（はあ?）〟のタイプだ。このタイプには、〝Hmm（うーん）〟なども含まれる[14]。修復を促す役割だけに特化した簡単な言葉だ。このタイプの言葉は「間投詞」に分類されるだろう。それだけで完結することが多く、複雑な句や文の構成要素になることはあまりない[15]。間投詞とは、英語で言えば、〝Wow（わあ）〟、〝Yuck（ゲーッ）〟、〝Phew（ふう）〟といった言葉のことである。

二つ目は、〝What?（何?）〟のタイプだ（英語には、これによく似た〝Wha?〟という言葉もある）。このタイプの言葉は、修復を促すのにも使えるがそれに特化したものではなく、他の役割を果たすこともある。〝What?〟であれば、通常の疑問文など、文を構成する言葉の一つとして使われることもあるだろう。たとえば、〝What flavor is that?（それは何味?）〟、〝They heard what you said（あの人たちは君の言ったことを聴いているよ）〟のように完全な文の一部として使われることもあるわけだ。

三つ目のタイプは「定型的」な言葉だ。修復を促す際に慣例として使われる単語、語句あるいは文だ。英語圏では、親が子供に丁寧に話す時の言い方として教えることが多い。“Sorry?（何ですか？）”、“Excuse me?（もう一度お願いできますか？）”、“Pardon me?（何とおっしゃったのですか？）”などがこのタイプに含まれる。

私たちの研究では、修復の弱い促しに使われる言葉自体はどの言語にもあるが、以上の三つのタイプがどの言語にも揃っているとは限らない、ということがわかった。どの言語にも普遍的に存在するのは、一つ目の間投詞のタイプだけだ。次の章では、この種の間投詞について詳しく話すことになる。

二つ目のタイプもすべてではないが、幅広い言語に存在している。大半の言語にはあると言ってもいいだろう。例を三つあげておく。

チャパラ語[16]**（エクアドルで話されている言語）**

A: pikishnetyuu mama
　床を揺らさないようにしなさい。

B: tin
　何？

A: pikishnetyuu tya'pumi
　床を揺らさないようにしなさい。（カメラが）落ちるから。

シウ語[17]**（ガーナで話されている言語）**

母親：Sesi su εὲ iraɔ̀ tã̆ mε
　セシ、ちょっと、あー、あれを持ってきて。
セシ：be
　何？
母親：su kadadisε̃ĩbi bɔ mε
　ちょっとあの小さい鍋を持ってきて。

イタリア語⑱
エヴァ：quel coso lì èl quel del gat Mario uh Mirko
　あそこに置いてあるあれは、猫のマリオのだよ、ミルコ。
ミルコ：cosa
　何？
エヴァ：quel piatim lì
　あそこに置いてあるお皿のこと。
ミルコ：sì
　うん。

　このように疑問の言葉を修復を促すのに使うことはほとんどの言語に見られるが、例外もある。私たちが調査した中では、イェレ語とツェルタル語には、"what"にあたる言葉を修復を促すのに使う例は見つからなかった。

三つ目のタイプである定型的な言葉は、むしろ使われる言語の方が珍しいことがわかった。この点に関して、英語は世界の言語の中で少数派ということだ。この種の定型的な言葉が修復を促すのに使われている言語はあまりない。丁寧な言い回しは、ある程度、規模の大きい社会で発展するものだ。規模の大きい社会では、儀礼的な会話が行われることも多く、丁寧な言い回しはそうした場でよく使われる。会話の相手が見知らぬ人であることも多い。規模の小さい農村社会では、そもそも丁寧な言い回しの必要性がほとんど（あるいはまったく）ないのかもしれない。

細かく見ていけば言語ごとの違いは他にもあるが、会話中の「修復の促し」に関わる原則は世界中のどの言語でも基本的に同じと考えていいようだ。修復を促す言葉には三つのタイプがあり、また「弱い」言葉と「強い」言葉がある。使用する言語がどれであっても、会話中に修復を促す際には、その中から適切なものを選ぶことになる。

質問と修復の共通ルール

私たちの研究グループでは、会話中に修復を促す言葉の選択に関して、どの言語でも基本的に同じルールに従っているのか、それとも言語ごとにルールは違っているのかを確かめようとした。言語を問わず、世界中のどこでも同様のルールに従っている可能性もあるし、地域ごとに価値観の違いを反映した違ったルールに従っている可能性もある。文化によっては、物事を曖昧なままにすることを好む場合もある、と主張する研究者もいる[19]。もちろん、そういうことも十分にあり得るだろう。そうした好みが、「弱い」言葉で修復を促す傾向を強める可能性もある。

　私たちは、収集したすべての会話について、修復を促した人が、その時に話していた相手に注意を向けていたのか、それとも他に注意が向いていたのかを確認した。すると、他のことに注意が向いていた場合には、約半数のケースで「弱い」言葉を使って修復を促していた。しかし、話し手に注意が向いていた場合には、「弱い」言葉を使うケースが全体の約四分の一にとどまり、「強い」言葉を使うケースはその二倍にもなった。この点はどの言語でも同じだった。

　また、相手が予期していないことを言った場合に、どういう言葉で修復を促すかも重要である。次に、社会学者のポール・ドリューが研究の中で採取した会話サンプルを見てみよう。[20]

1. **Gordon**: Hi Norm.
2. **Norm**: Hi Gordy.
3. **Gordon**: Um are you going tonight?
4. **Norm**: Mm.
5. **Gordon**: Would you mind givin me a lift.
6. **Norm**: No, that's all right.
7. **Gordon**: Very kind of you.
8. **Norm**: Caught me in the bath again.
9. **Gordon**: Pardon?

10. **Norm**: Heh. Caught me in the bath.
11. **Gordon**: Oh I'm sorry well I should let you get back to it.

1. **ゴードン**：やあノーム。
2. **ノーム**：こんにちはゴーディー。
3. **ゴードン**：あのさ、今晩行くのかな？
4. **ノーム**：うん。
5. **ゴードン**：車、乗せて行ってくれるかな。
6. **ノーム**：ああ、いいよ。
7. **ゴードン**：ありがとう。
8. **ノーム**：また風呂入ってる時に声かけてきたね。
9. **ゴードン**：ごめん何て言ったの？
10. **ノーム**：だからまた風呂入ってる時に声かけてきたねって。
11. **ゴードン**：ああ、ごめん、邪魔して。ごゆっくり。

下線を引いた8と9に注目して欲しい。ドリューによれば、8のような発言を含むこの種の会話パターンはよく見られるという。ドリューは、このパターンに関して二つのことを言っている。一つは、問題の発言が、それまでの会話で話されていたことから大きく逸脱しているということだ。そしてもう一つは、その結果、相手が"Huh（何だって?）"のような「弱い」言葉で修復を促すことになっているということだ。つまり相手が、予測が難しく、従って対応が難しい発言をした場合には、「弱い」言葉で修復を促すことになりやすいということになる。それを確かめるべく、私たちは、会話中に予測しやすい言葉が発せられた場合と、予測が難しい言葉が発せられた場合とで、その後の対応がどう変わるかを体系的に比較する調査を実施した。

たとえば、誰かが"What time is it?（今何時ですか？）"と尋ねた場合、この質問にどういう種類の答えが返って来るかはかなりの確信を持って予測できる。もちろん、理論上、答えは無限に考えられる。しかし、実際には、ごくわずかの選択肢の中からどれかを選んで答える人が多いと考えていいだろう。おそらく、標準的な形式を使って、現在の時刻を答える人が多いはずだ（"It's half past two.〔二時半です〕"、"Five to eight.〔八時五分前です〕"、"Four-thirty.〔四時三〇分です〕"など）。時刻そのものを言うのではなく、別の間接的な方法で時刻を知らせる人もいる（"Time to leave.〔出かける時間だ〕"、"Almost lunchtime.〔もうお昼だね〕"、"My parents won't be back for another hour.〔両親はあと一時間は帰って来ない〕"など）。あるいは、質問に答えられない理由だけを言う人もいるだろう（"I don't know.〔わからない〕"、"I don't have a watch.〔時計持ってない〕"など）。このように、質問の直後にどういう言葉が発せられるか予期しやすい場合には、その言葉の処理、理解に問題が発生することは少ないと考えられる。

私たちは本当にそうなのかを調べてみた。そして実際、質問に問題があった場合には、約半数近くのケースで、その直後に「弱い」言葉で修復が促されることがわかった。しかし、問題が質問への答えにあった場合には、「弱い」言葉で修復が促されるケースが半減した。つまり、全体の四分の一のケースだけにとどまったわけだ。これは、私たちの研究の対象になった一二の言語すべてに共通していた。

言語による違いを確認すべきポイントとしてはもう一つ、繰り返し修復を促す場合に、「強い」言葉と「弱い」言葉がそれぞれいつどのように使われるのか、ということがあげられる。一度修復を促したが、それでも満足できる結果にならず、もう一度、修復を促す、ということは珍しくない[21]。たとえば次のような場合だ。

1. **Mum**: Oh what is it.
2. **Leslie**: What?
3. **Mum**: The place.
4. **Leslie**: What place?
5. **Mum**: I asked you in my letter.
6. Where—Where um in—
   Waithe's garage is.
7. **Leslie**: Sparkford.

1. **母親**：あー、それ何ていったっけ。
2. **レスリー**：何が？

3. **母親**：その場所よ。
4. **レスリー**：どの場所？
5. **母親**：ほら、手紙できいたじゃない。
6. あの――ほら、ええと――ワイスのガレージがあるところ。
7. **レスリー**：スパークフォードね。

この例では、まず、「弱い」言葉によって修復を促す試みが行われている（2）。しかし、その後、「強い」言葉によって再び修復を促す試みが繰り返される（4）。私たちは、同様のパターンが英語以外の言語にも見られるかを調べた。最初の試みが失敗した後、再度、修復を促す試みが繰り返されている例をすべて調べたのだ。最初の試みでは、「弱い」言葉で修復が促されたケースは全体の約三分の一だった。しかし、それが失敗した後、再度、修復が促された場合、「弱い」言葉が使われるケースは半分にまで減った。つまり、最初は具体性の低い「弱い」言葉が使われていたとしても、それが失敗すると、次には具体性の高い「強い」言葉が使われることが増えるわけだ。英語と同様の傾向は、私たちの調べたすべての言語に共通して見られる。英語の話者が従っているとされるルールに、他の言語の話者も従っていることになる。

誰もがなるべく協力的に修復しようとする

私がこの章で書いてきたことを総合すれば、会話中に何らかの修復を促す人には、言語を問わず、一定の傾向が見られるということになる。誰もが可能な限り、具体性の高い「強い」言葉で修復を促そうとする、という傾向だ。この傾向から、人間の会話中の態度に関して興味深いことがわかる。それは、人間は皆、会話の相手にできるだけ協力しようとする、利他的な態度を取るということだ。具体性の高い「強い」言葉を使うことには二つの利点がある。一つは、その方が一度で問題が解決する可能性が高くなるということだ。問題が解決すれば、また元通りの会話を再開できる。これは会話の参加者双方にとって良いことだ。だからこそこのような利他的な行動に出ると考えられる。

もう一つの利点も、修復を促す人自身というよりも、修復をする人にとっての利点だろう。

A: Dippert's there too.
Scenario 1 B: Huh? A: Dippert is there too.
Scenario 2 B: Who's there too? A: Dippert.
Scenario 3 B: Dippert's there too? A: Yes.

A：ディパートも来たよ。
シナリオ1　B：何だって？　A：ディパートも来たよ。
シナリオ2　B：誰が来たって？　A：ディパートだよ。
シナリオ3　B：ディパートも来たって？　A：うん。

三つのシナリオについて、それぞれ問題解決にかかる労力がAの人とBの人にどう分散されているかを比較してみよう。あとのシナリオほど、修復を促す言葉は具体性が高い「強い」ものになっている。それぞれ、どちらの方に多く労力がかかっているだろうか。修復を促す言葉が「強く」なるほど、労力はBの人に多くかかることがわかる。その分、Aの人の労力は減る。Bの人が強い言葉を選ぶほど、問題解決のための労力を多く自分で負担することになり、Aの人の労力を減らすことになる。Aの人が最初の言葉を繰り返しても――"Dipper's there too.（ディパートも来たよ）"と言ったとしても――大変な負担というわけではないが、単に"Yes.（うん）"というだけよりは労力は多くなるだろう。

私たちは、収集した会話の例すべてについて、会話への参加者それぞれが「負担した相対的労力」を調べ、同じ傾向がすべての言語に見られることを確認した[22]。話す言語にも、文化にも関係なく、すべての人が、修復を促す際にはできる限り「強い」言葉を使おうとすること、それによって相手が問題解決のために負担する労力をできる限り減らそうとすることが確認できたのだ。

このような傾向が見られることは、人間が普遍的な会話機械を持つことの証拠とも考えられる。どの言語を話していても、会話の時に取り得る行動の選択肢は基本的に同じで、選択のルールもほぼ同じのようだ。基礎にあるのは、互いに協力し合おうとする姿勢、それによって効率を最大限に高めようとする姿勢である。修復を促す言葉を適切に使うことで、人は会話をより効率的にすることができる。互いに、解決のために負担する相手の労力を減らそうとするという利他的な態度を取るおかげだ。互いに相手の言うことを確実に理解していることを常に確認し合っていれば、会話は絶えず円滑に流れて行くだろう。

この章では、世界各国の言語から過去に例がないほど大量のサンプルを集めた私たちの研究結果を基に、会話中の「修復」の基本的な傾向を見てきた。私たちの比較研究により、「修復」の特徴がかなりわかるようになった。具体性の高い「強い」言葉が好まれることから、言語には一般に思われているよりもずっと「安定」に向かおうとする性質があることがわかる。次の章では、世界中の言語に普遍的に見られる"Huh?（はあ?）"に類する言葉について深く考察する。

第八章　修復キーワードは万国共通

会話を修復する聞き返しワードは英語では“Huh?”だ。実は同じ用途を持つばかりか、音も似ている言葉が世界各国の言語に存在する

　ラオス中央部、川辺の平原にある村で、一人の男性がNoi（ノイ）という隣人に向かって、薄い竹造りの壁越しに声をかけた。“Noi bòò mii sùak vaa Noi（ノイ、ロープ持ってるかな）”。これに対し、ノイは“Haa?（はあ？）”と返事をした。男性は最初の質問を繰り返した。“Bòò mii sùak vaa（ロープ持ってるかな）”。

　東ガーナ中央部の丘の中腹部の集落。少数言語であるシウ語を話す二人が、火薬の仕込みをしていた。その火薬は別の村に売られ、葬儀に使われることになっている。一人が言った。“Ɪlɛ̀ isɛ̀-ɛ?（葬儀はどこであるの？）”、もう一人が言った。“Hã?（はあ？）”。それに対し、最初の一人が“Ɪlɛ̀ isɛ̀-ɛ?（葬儀はどこであるの？）”と繰り返した。

エクアドル北西部、海岸近くの低地で、二人のチャパラ語話者が情報交換をしていた。“Motorkaa detisaa（あいつ車買ったらしいね）”“Aa?（はあ?）”“Motorkaa detisaa（あいつ車買ったらしいね）[1]”。

このように、会話中に発生した問題を解決させるやりとりは、文化や生活様式、話す言語を問わず、世界中のどの家庭、村、街でも、日常的に行われているだろう。ただ、ここにあげた三つの例をよく見ると、興味深いことがわかる。どの言語にも、修復を促す「弱い」言葉があるというだけでなく、その言葉がどの言語でも非常に似ているのだ。どれも、英語の“Huh?”によく似ている。

それは普遍的なのか？

私たちは前の章でも書いた通り、世界各地の言語を対象にした研究をしていたのだが、“Huh?”は、もしかすると会話中に相手に修復を促す際に使われる普遍的な言葉なのかもしれないと考え始めた。私たちは、会話中に誤解が生じた際に人がどう対応するかに注目した。研究の初期段階で驚いたのは、同じようなやりとりに繰り返し出会うことだった。私たちがデータを収集したすべての言語で、皆が英語の“Huh?”に非常によく似た言葉を何度も発するのだ。言葉の機能も英語の“Huh?”とほぼ同じである。私たちが、“Huh?”は万国共通の言葉なのでは、と考えるようになったのはそのためだ。

本当に“Huh?”が万国共通のものなのか否かを知るには、世界で現在、話されている六〇〇〇もの言語を一つ一つ調べなくてはならない。それは、これだけでなく、言語研究に関して

「万国共通」などと言い出した時には必ず直面する問題である。たとえば、言語学者のアンナ・ヴェジビツカは、「世界中の言語には必ず、約六〇の基本となる語が存在する」という主張をした。その約六〇語で表現される概念はどの言語にも存在するということだ。たとえば、「良い」、「すべて」、「人々」、「あなた」といった概念を表現する語はあらゆる言語に存在するという。言語学者のR・M・W・ディクソンは、「あらゆる言語には、名詞とも動詞とも違う、形容詞と呼ぶべき種類の語が存在する」と主張した。そして、言語学者のノーム・チョムスキーは、あらゆる言語の文法構造には、再帰性（リカージョン）――ある処理の結果を再び同じ処理の入力として利用すること――という性質が見られると主張した。[2]

こうした主張には一応、証拠が提示されているが、それは世界中の言語のごく一部から引いた例にすぎない。しかし、それでも、反例が提示されない限りは、ともかく「世界中の言語に共通である可能性が高い」とは言える。言語学が帰納的な科学であると言われるのはそのためだ。言語学者は、世界に存在する言語について情報を多く集めるほど、まだ直接には調べていない言語についても確度の高い推測ができるようになる。これは逆に言えば、自分の主張を覆す新しい情報がいつ見つかっても不思議はないということだ。[3]

表8・1は、一五の言語の、修復を促す「弱い」言葉の一覧である。[4]

例1、例2の言葉はすべて、英語の“Huh?”と同様の機能を持った言葉である。例1の言葉はすべて疑問語で、大半は英語の“What?”と意味が同じだが、中には英語“How?”のような意味の言葉も混じっている。イタリア語の“Come?”、ドイツ語の“Wie?”、フランス語の“Comment?”とも似ている。ここに属する言葉は、言語ごとに音がまったく違う。英語の“What”、ロシア

言語	話されている地域	例1	例2
アクホエ・ハイロム語	ナミビア	mati	hɛ
チャパラ語	エクアドル	ti	aː
チンタン語	ネパール	t^{h}ɛm	hã
ドゥナ語	パプアニューギニア	aki	ɛ̃ː
オランダ語	オランダ	wat	hɜ
英語	イギリス	what	hãː
フランス語	フランス	quoi	ɛ̃
ハンガリー語	ハンガリー	mi	ha
アイスランド語	アイスランド	hvað	haː
イタリア語	イタリア	cosa	ɛː
ラオ語	ラオス	iñaŋ	hãː
ムリンパタ語	オーストラリア	t̪aŋgu	aː
ロシア語	ロシア	shto	haː
シウ語	ガーナ	beː	hã
スペイン語	スペイン	que	e

表8.1　15の言語の修復を促す「弱い」言葉。疑問語（例1）と間投詞（例2）。例2の言葉（と例1の言葉の一部）は、発音をそのまま写した国際音標文字（IPA=International Phonetic Alphabet）で表記してある。

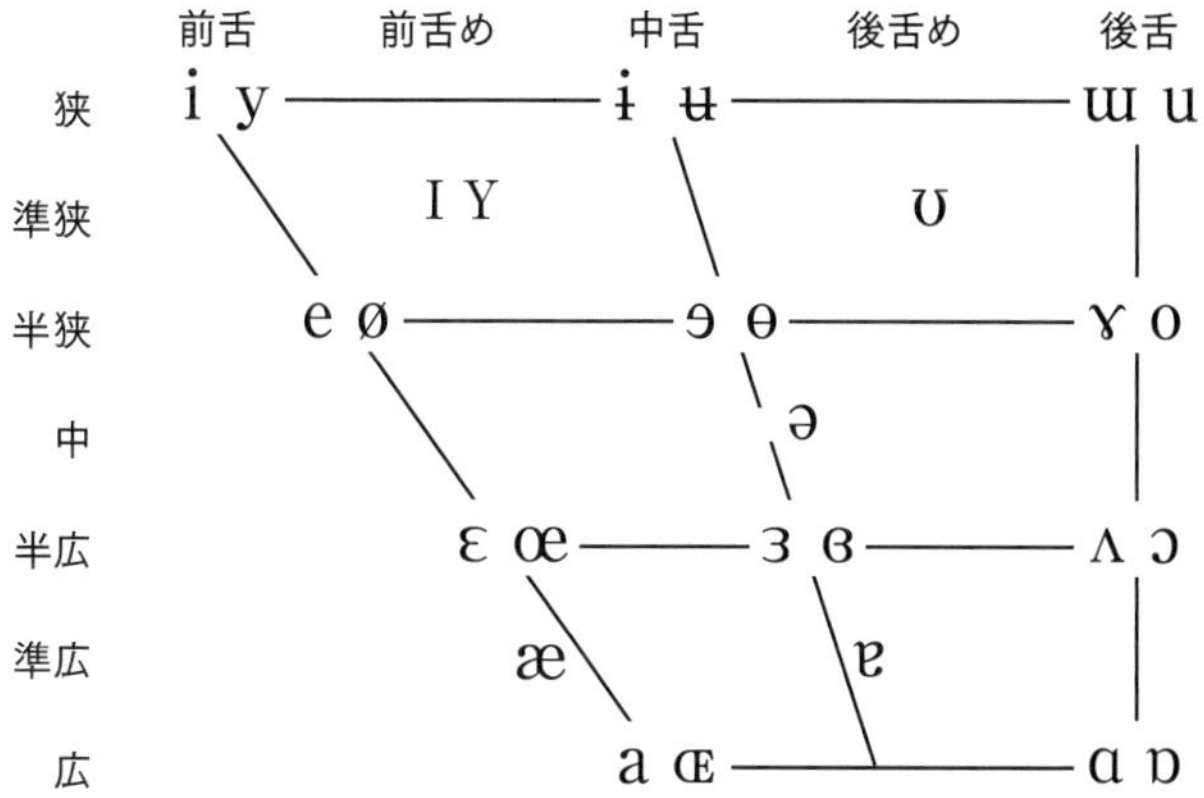

図8.1　人間の言語で使用される母音の一覧。母音は国際音標文字（IPA＝International Phonetic Alphabet）で表記してある。発声器官の使い方で母音の種類は変わる。
出典：https://www.internationalphoneticassociation.org/content/full-ipa-chart

語の“Shto”、ドゥナ語（パプアニューギニア高地の言葉）の“Aki”を比べても似ているところはまったくない。ただ、言語が違えば同じ意味の言葉でもまったく違うのはごく普通のことだ。たとえば、犬は英語では“Dog”だが、ロシア語では“Sobaka”だし、ドゥナ語では“Yawi”である。

では例2の言葉はどうだろう。例1とは違うことに気づかないだろうか。どの言語でも不思議なほど似ている。言語では必ず「母音」を使う。人間に使える母音の種類というのは限られている。図8・1は、人間に使える母音の種類をまとめたものだ。横の軸は舌の位置を示す。舌の位置は、大きく前、後ろ、その中間に分かれる。縦の軸は開口度を示す。下に行くほど口を大きく開くことになる。この図に出て来る母音はどれも世界の言

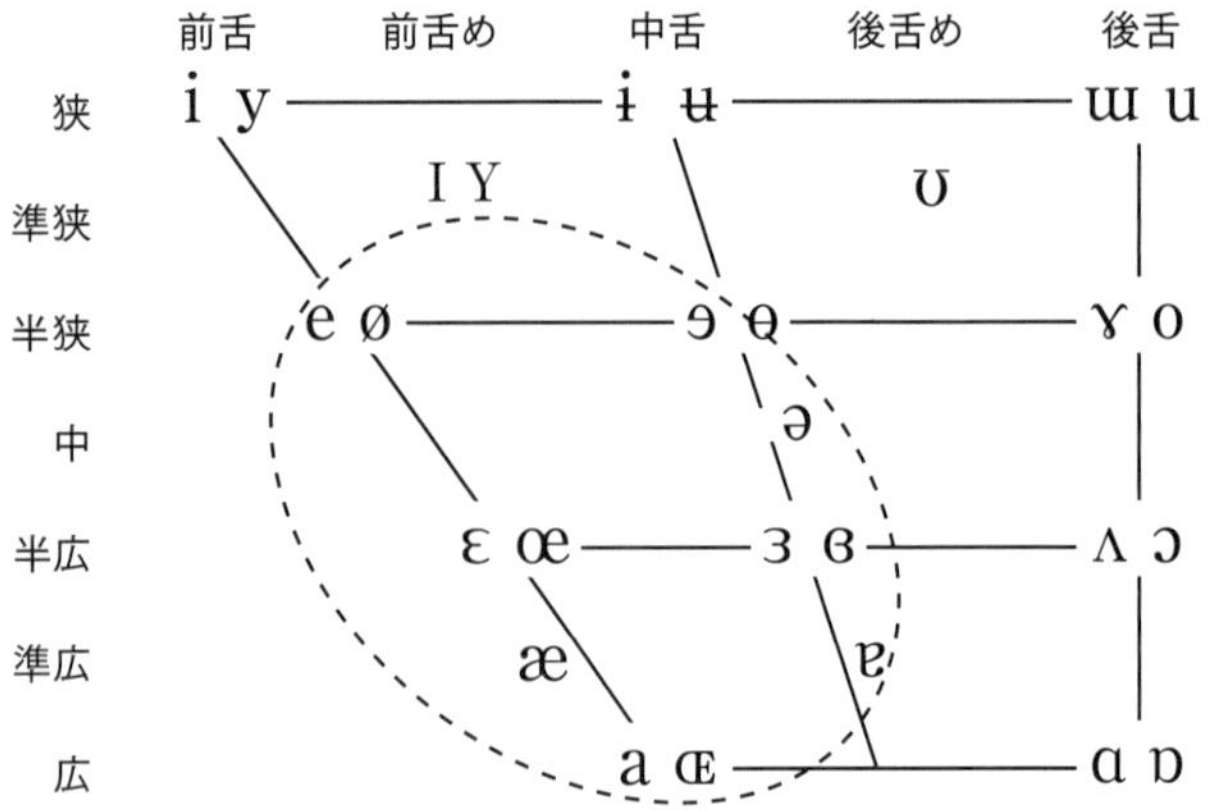

図8.2　人間の言語で使用される母音の一覧。英語の“Huh?”に類する言葉の母音は、31の言語で、円で囲んだ範囲に分布している。
出典：https://www.internationalphoneticassociation.org/content/full-ipa-chart

語のうち少なくとも一つで使われているもので、すべてに発音記号がつけられている。

　例1の“What”に似た言葉の母音は、表8・1のあらゆる場所に分布している。ところが、私たちが調査対象にした二〇ほどの言語で見る限り、英語の“Huh?”に類する言葉では、母音の分布に偏りが見られる。多数の言語で、舌の位置が前、口をある程度開いた母音を使用している。図8・2で円で囲んだ範囲に偏っているということだ。

　私は、言語学者のマーク・ディンゲマンス、フランシスコ・トレイラとともに“Huh?”に類する世界の言葉が発音の面で実際にどれほど似通っているのかを調べることにした。まず、一〇の言語の日常会話の録音データから、“Huh?”に類する言葉を一つずつ抜き出した。そして、

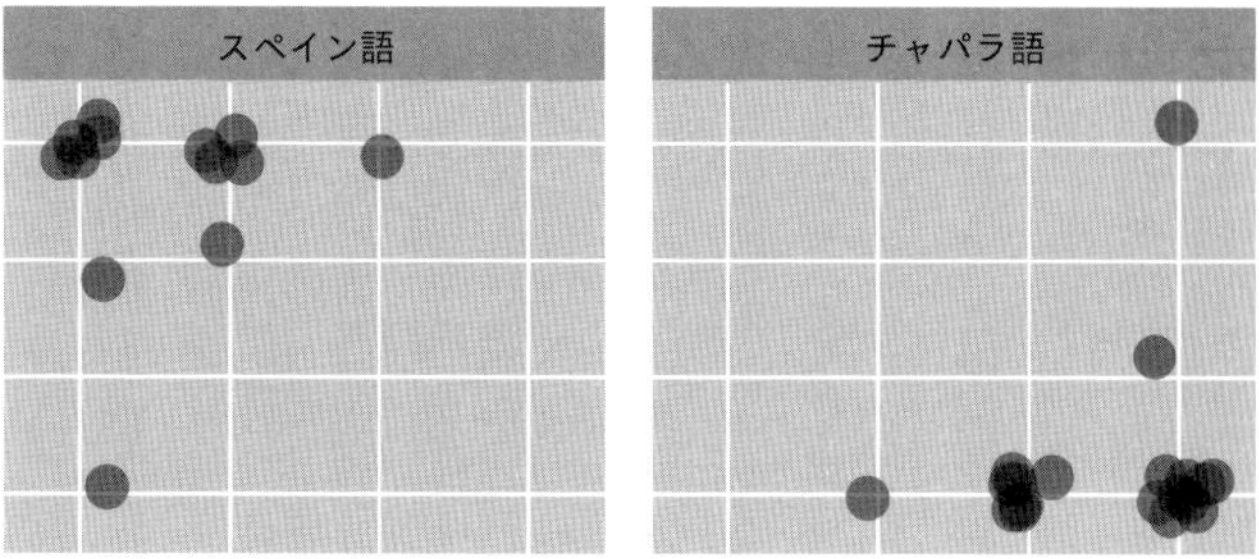

図8.3a　8.3b　スペイン語とチャパラ語で使われる“Huh?”に類する言葉の母音の比較。図8.2の左下部分を拡大したもの。黒丸はそれぞれ、“Huh?”に類する言葉の母音がどこに位置するかを示している。
出典：ディングマンス、トレイラ、エンフィールドの2013年の論文、4ページの図を改変

使われる母音の表中の位置を、客観的に比較した。

私たちの調査結果の要点がわかりやすいよう、ここでは二つの言語を例にとって比較してみよう[5]。スペイン語とチャパラ語だ。スペイン語もチャパラ語も、英語の“Huh?”に類する言葉の母音はすべて、図8・2の円内に位置している。円内には、英語で言えば、“Bed（ベッド）”、“Bad（悪い）”、“Bud（つぼみ）”などの母音が含まれるが、“Bead（ビーズ）”、“Booed（boo＝「ブーイングする」の過去形）”、“Board（板）”などの母音は含まれない。こう書くと、どちらの言語でも、“Huh?”に類する言葉の発音は非常に似通っているようだが、細かく見ていくと、実は明らかな違いもある。

図8・3は、図8・2の左下、円で囲んだ部分を拡大したものだ。図8・3a、図8・3bの黒丸はそれぞれ、スペイン語、チャパラ語の会話で使われる“Huh?”に類する言葉の母音がどこに位置するかを示す。

図8・3aは、スペイン語の"Huh?"に類する言葉の母音の分布だ。ほとんどが、〝e〟のあたりの小さな領域に密集していることがわかる。これは、〝e〟の音、つまり、英語の"Bed"の母音とだいたい同じ音ということだ。図8・3bは、チャパラ語の"Huh?"に類する言葉の母音の分布だが、スペイン語とは少し違った領域に固まっている。これは、〝a〟の音、つまり、英語の"Cat（猫）"の母音とだいたい同じ音ということだ。この二つの音はまったく違う母音と言っていい。英語でも、この音の違いだけで、"Fed（feed＝「食べさせる」の過去）"と"Fad（一時的流行）"、"Wreck（衝突）"と"Rack（棚）"というまったく違う言葉になる。

研究者の中には、"Huh?"のような間投詞は、本当の意味での言葉ではなく、唸り声のようなものではないかという人もいる。[6] しかし、"Huh?"が単に、動物が発する驚きの信号のようなものだとすれば、逆に言語ごとに（わずかとはいえ）明確な違いがあるのは不思議ではないだろうか。"Huh?"に類する言葉の母音は、スペイン語とチャパラ語では明確に違い、スペイン語話者の子供も、チャパラ語話者の子供も、学習をしない限り、そのように互いに違った言葉を使えないはずである。"Huh?"に類する言葉は、地域ごと、言語ごとに少しずつ変えられているということだ。やはり、唸り声などではなく、本物の言葉であることは間違いない。それぞれの言語のシステムの中に組み込まれた言葉だ。

"Huh?"に類する言葉が、言語ごとに違っているというのと、この種の言葉が万国共通のものだ、という主張とは矛盾しているようだが、実はそうではない。人間が発音できる母音の幅は、世界中同じである。図8・3でも見た通り、"Huh?"に類する言葉の母音は、スペイン語でもチャパラ語でも、範囲の左下部分に固まって分布している。図8・4は、他の言語での母音の

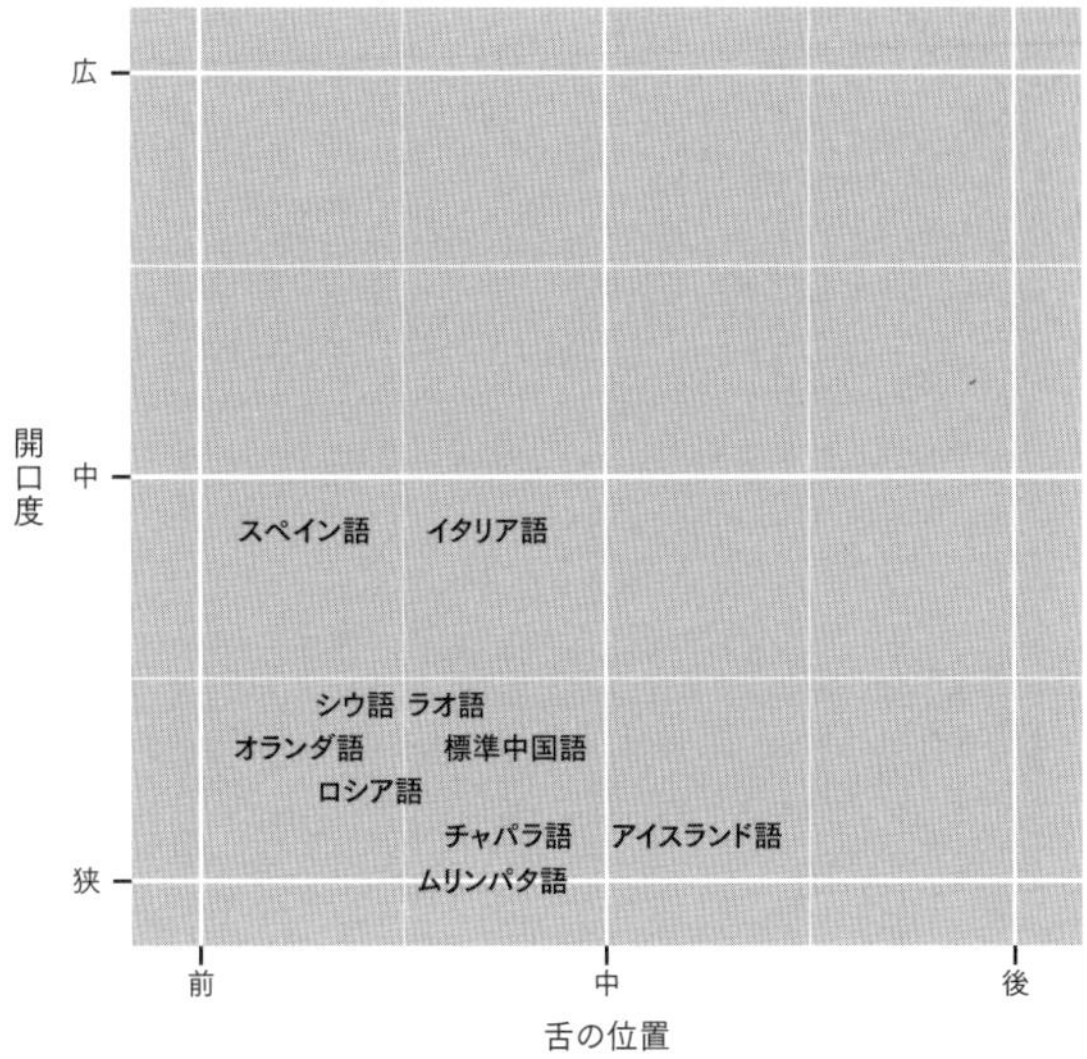

図8.4　“Huh?”に類する言葉の母音の分布。世界中の言語に属する言葉をくまなく見れば、この表の範囲に収まる母音を最大限に活用しているのがわかるはずである。しかし、“Huh?”に類する語だけを見ると、図の左下の範囲に集中している。
出典：ディングマンス、トレイラ、エンフィールドの2013年の論文、4ページ

分布を示したものである。私たちが対象にした一〇の言語の“Huh?”に類する言葉の母音がどこに分布するかを示している[7]。

この範囲の狭さは驚異的である。もちろん、言語によって（スペイン語とチャパラ語のように）、発音の細かい違いはある。しかし、“Huh?”に類する言葉の母音の発音は、皆とても偶然とは思えないほど近いと言える。図の右上に分布している言語は一つもなく、すべてが左下の範囲に集中している。

私たちが、「“Huh?”に類する言葉は万国共通」と主

張するのは、私たちが詳しく調査した言語、あるいは少し知っている言語には、すべて"Huh?"に発音が似ていて、意味も"Huh?"と同じ言葉が存在していたからだ。調べていない言語の中に、そういう言葉を持たないものがあれば、この主張は誤りだったことになる。しかし、私たちはこの主張の正しさに自信を持っている。様々な語族に属する言語から、満遍なくサンプルを採取して調査をしたからだ[8]。同じ語族に属する言語ばかり多数調べても、それはあまり適切な調査だとは言えない(たとえば、ロシア語、イタリア語、ドイツ語、フランス語、スペイン語、英語などは、どれも同じインド=ヨーロッパ語族の言語である)。同じ語族に属する言語だと、すべて同じ言語から派生しているからだ。

なので、もし、どの言語にも共通する特徴があったとしても、それは祖先の言語に歴史の中でただ一度だけ生じたものなのだろう。子孫の言語はすべて、それを受け継いでいるだけというわけだ。一九世紀の人類学者、統計学者、遺伝学者のフランシス・ゴルトンは、人類学者エドワード・タイラーの業績について解説する際に、その問題を指摘している。標本を集めて調査をする際には、個々のサンプルが互いに独立していなくては意味がない、と言ったのだ[9]。つまり、言語学において、何かが「万国共通」であると言いたければ、できるだけ多数の語族からサンプルを採取すべきということである。

私たちの研究では、合計で一六の語族の三一の言語からサンプルを収集した。これでも世界中の言語のほんの一部にすぎない。しかし、量、質ともに十分だと言える。このサンプルがあれば、言語について何かが「万国共通」であるという主張のほとんどについて、真偽の判定ができるだろう。"Huh?"に類する言葉がもし「万国共通」でないとしたら、三一の言語のうち

に少なくとも一つは、この種の言葉を持たないものが含まれる確率が高いだろう。(10)

言語の収斂進化

言語学においては、万国共通の言葉など存在しないと考えるのがむしろ普通である。スイスの言語学者・記号学者、フェルディナン・ド・ソシュールは今から一世紀ほど前に、記号の恣意性についての原則を確立した。(11) ソシュールは"Tree"という言葉を記号の例にあげている。この記号には二つの部分がある。一つは「音」である。つまり、私たちが口で"Tree"という言葉を発する時に出る音だ。そしてもう一つは、「概念」だ。つまり、私たちが"Tree"という言葉を聞いた時に頭に思い浮かべるもののことである。

「記号の恣意性」とは、この二つの部分の結びつきの恣意性を指す。ソシュールは、音と概念の結びつきが完全に恣意的なものだと主張した。両者の結びつきは、言語の歴史の中で起きた偶然の結果ということだ。英語の"Tree"という言葉が今のような発音を持つことに何ら意味はない。だから同じ概念であっても、言語が違えば、基本的にはまったく違う音と結びつくことになる。"Tree"と同じ概念を指すドイツ語の音は"Baum"、タイ語の音は"Ton-mai"、南米のケチュア語の音は"Kaspi"で、どれもまったく違っている。

このルールの例外と考えられるのが、擬声語（オノマトペ）である。"Plop（ドブン）"、"Quack quack（ガーガー）"、"Cockadoodledoo（コケコッコー）"などのことだ。しかし、実際に見てみると、この擬声語も予想以上に言語ごとに違っていることがわかる。たとえば、同じ擬声語がラオ語では、"Djoum"、"Gaap gaap"、"Oki ok ok"などになる。言語ごとに大きく違うということは、擬声語もやはり、音と概念の結びつきは恣意的と考えていいのかもしれない。しかし、擬声語の場合は、その音にする動機がある。擬声語の音と概念の間に結びつきがあることは、すぐにわかるだろう。"Quack quack"は、アヒルの鳴き声に似せようという動機があって、その音になったのだ。"Gaap gaap"もやはりそうだろう。

擬声語ほど明快ではないが、何か動機があって、音と概念が恣意的にではなくある程度、必然的に結びついている場合は他にもある。ラオ語の例を二つあげておこう。ラオ語の"Ah"という言葉は、(まさに「あー」と発音する時のように)「口を大きく開ける」と言う時に使う。また、"Mim"という言葉は、「唇を固く閉じる」と言う時に使う。どちらの言葉も、その言葉が意味する動作をした時に口から出る音を模している。こういう場合には、系統的にまったく無関係な言語であっても、似たような発音の言葉を似たような意味に使うことは大いにあり得る。無関係な言語に不思議なほど似通った言葉がある場合には、両方の言語に、その言葉が生まれる共通の動機があると考えられる。その結果、それぞれの言語で似たような言葉が独立に生まれることになった可能性が高い。

同様に、"Huh?"に類する語も、収斂進化の産物なのではないか、と私たちは考えた。収斂進化とは元々は、系統的にまったく無関係の複数の生物種に同じような構造が進化することを指す言葉だ。たとえば、イルカ(哺乳類)とサメ(魚類)は、系統的にはまったく違う生物だが、身体は似たような形をしている。また、イルカは、コウモリと同じく、自分が発する音波の反響で周囲の様子を探知する「エコーロケーション」の能力を持っているが、これも収斂進化である。(12) 収斂進化は、二つの種が同じような環境圧にさらされ、それに同じような反応をした結果だ。

"Huh?"に類した言葉が多数の言語に存在しているのは、この種の言葉があらゆる言語に生まれる理由があるからではないか。会話中、相手の言うことが理解できなかった場合には、それを相手に伝える必要がある。本書ですでに見てきた通り、会話中には時間は非常に速く過ぎてしまう。つまり、何か問題が生じても、それを相手に知らせることのできる時間は非常に短いということだ。知らせるには、素早く簡単に発音できる言葉が必要になる。その条件にかなうのが"Huh?"だというわけだ。"Huh?"に類する言葉の母音は、どの言語においても、舌が弛緩した状態から最も発音しやすいものになっている。

会話をしている人の置かれている状況を考えてみよう。まず、会話中は、相手の言ったことに短時間のうちに反応しなくてはならない。常に、ピストルが鳴ったら即スタートする短距離走者のような状態に置かれるわけだ。容易なことではないが、社会からはそうであることを期待される。また、社会からは、会話の流れを滞らせないことも期待される。相手に後戻りをさせ、言い直しをさせるのは好ましいこととはされない。つまり、相手に修復を促すことはできれば避けるべきということだ。そして——これも同じくらい重要だ——相手の言葉がよく理解できなかった場合には、理解しないまま放置すべきではない。問題を解決してから前に進むことを期待される。

理想は、会話中に、相手の言うことをすべて正しく聴き取り、理解することである。それができれば、社会の期待に反することはないだろう。しかし、相手の言ったことが聴き取れない、理解できないという場合も当然ある。時間はすぐに過ぎ去ってしまう。そういう時は、会話の流れを滞らせないため、まず、ともかく聞こえた言葉がどういうもので、どういう意味だったのかを懸命に推測しようとするだろう。しかし、遅延が一ミリ秒延びるごとに悪影響は大きくなっていく。第四章でも書いた通り、遅延が長くなると、その遅延が相手の言葉への否定的な反応であると解釈されてしまう恐れがある。単に答えられなくて動きが止まっているだけと思ってもらえない恐れがあるのだ。

遅延が長くなりすぎた場合、特に、六〇〇ミリ秒を超えるほどになった場合、つまり、一秒の半分より長くなった場合には、急いで何らかの対応をしなくてはならない。頭の中では、おそらくこんなふうに考えることになるだろう。

「今、聞こえた言葉をどうにか処理しようとしたが、適切な時間内には処理できなかった。遅延が長くなりすぎている、相手はそのまま会話を続けたいに違いない。私が言葉を理解できていないことには気づいていないだろうし、放置すればひょっとすると、私が相手の言葉に不快感を持っていると解釈されてしまうかもしれない。こうなったら、一刻も早く、理解できていないことを知らせる記号を発する必要がある」

相手にとってわかりやすい記号をできる限り早く発しなくてはならないし、かかる労力も最小限に抑える必要があるだろう。すでに書いた通り、人間は、適切な語を見つけ、発話のための運動プログラムを起動して、実際に語を発音するまでに、六〇〇ミリ秒はかかってしまう。"Huh?"の利点は、運動の計画、実行に要する労力は最小限で済むことだ。舌は中立的で弛緩した状態のままでいいし、口はかすかに開けるだけでいい。その状態で声を出すだけなので努力は少しで済む。それで口から出る音が"Huh?"ということである。

"Huh?"は最小限の遅延で発音できる言葉ではあるが、だからといって、"Huh?"という応答が、他の種類の応答よりも早いタイミングでなされるわけではない。英語についての調査では、"Huh?"が発音されるまでの遅延時間は平均で八三五ミリ秒だった。通常の話者交代に要する時間が二〇〇ミリ秒なので、それよりははるかに遅いことになる[13]（また、修復を促す「強い」言葉が発せられるまでの遅延時間は平均で七二六ミリ秒なのでそれよりも遅い）。"Huh?"自体の発音は速くできるのに、実際に発音されるまでには時間がかかる。それは、"Huh?"を発音するのが、相手の言葉の処理・理解に失敗したあとだからだ。時間切れ間際になってようやく"Huh?"を発音することになる。そのため、いくら"Huh?"そのものが速く発音できたとしても、発音するタイミングは、相手の言葉から〇・五秒以上経過したあとになる。遅れても何も言わないよりまし、という時に使われる言葉ということである。

文法ではなく道徳

"Huh?"に類した言葉があらゆる言語に存在するのは、あらゆる言語に共通する問題に対応するために収斂進化が起きたから、というのが私たちの主張だ。どの言語を使っていようと、人間が会話の際に置かれる環境は世界中おそらく同じだろう。会話は、話者を適宜交代しながら、高速でひたすら前へと進んで行くものだ。会話に参加する人はすべて、会話を滞りなく進行する義務を負う。"Huh?"に類する言葉の発音は、その言葉が持つ万国共通の役割に合っているのだと思われる。ともかく速く、簡単に、問題が生じていることを相手に伝える、その目的に最も適した言葉なのだろう。

"Huh?"が万国共通の言葉だと言うと、「全人類が共有しているものは数少ないのに、その一つが、誤解や混乱を伝える記号だとはね」などと皮肉を言う人がいる。(14) しかし、"Huh?"は何も混乱の記号などではないと私は思う。むしろ、世界中の人々が協力し合っていることを証明する記号なのではないか。世界中の人々に共通のニーズ、共通の意思があることの証明だ。コミュニケーションに問題があればすぐに伝え、共に解決すべきであり、また共に解決したいと思っていることの表れだ。

この短い言葉が存在するのは、話者交代システム(そもそも"Huh?"はこのシステムの中で機能するものだ)が存在するのと同じく、人間のコミュニケーションに道徳があるからだろう。相手が常に協力的であるという想定がなければ、この言葉は意味をなさない。直近の言葉が聴き取れなかった、理解できなかったと伝えれば、後戻りして言い直しをしてくれる、会話の流れを元通りにするのに協力してくれると信じているからこそ、発する言葉だ。会話が共同行動であり、参加者はそれを円滑に進める責任を負うという前提があるから成り立つ。

なぜ、他の動物に"Huh?"がないのかもこれでわかるだろう。複雑なコミュニケーション・システムを持つ動物でも"Huh?"に当たるものを使うことはない。記号の複雑さが重要なのだとしたら、"Huh?"を使う動物が他に存在しないのは不思議ということになる。しかし、"Huh?"には、人間の言語の特徴である複雑な文法構造などはない。この言葉には文法構造そのものがないと言ってもいい。"Huh?"は文法によって成り立っている言葉ではなく、言語というシステムの持つ柔軟性、そして使う人の協力的な姿勢によって成り立っている言葉だ。たとえ会話の途中で何か問題が起きても必ず協力し合って解決し、会話を前進させるのだという暗黙の同意があり、お互いが前進のために役立つ道具を求めるからこそ使えるのだ。

第九章　結論～会話の科学が起こす革命

これまでの言語学は、現実の会話から目を背けてきた。会話で発揮される能力を調べることで、言語研究に革命が起きようとしている

人間の言語能力の研究には今、大きな革命が起きようとしている。[1] それまではまったく無関係と思われていた二つの考えが結びつこうとしているからだ。一つは、人間が言語を運用できるのは、社会的認知と相互交流の能力を持っているから、という考えである。[2] そしてもう一つは、人間には言語のためだけの専用の能力がある、という考えだ。言語の運用のためだけに情報の操作をする専用の処理システムがあるという考えである。

人間の言語能力に関しては、長らく続いてきた論争がある。人間の子供は、誰にも教わらなくてもわずか数年のうちに、日々の生活の中で触れている言語を習得することができる。これは、他のどの生物にもない能力である。言語の研究者は、言語に関する人間のこうした能力を

大きく二つの種類に分けている。「広義の能力」と「狭義の能力」だ。

1. 広義の能力
人間だけが生来持っている、言語を持つのに必要な能力。

2. 狭義の能力
人間だけが生来持っている、言語のためだけの専用の能力。

人間が1の能力を持っているのは自明の理だろう。そういう能力が人間にあることを私たちは知っている。あとは、それがどういう能力なのかを調べればいい。人間が2の能力を持っているというのは今のところ仮説にすぎない。この能力を「普遍文法」と呼ぶことがある。[3]

ノーム・チョムスキーらは、長年、「人間は生来、言語の原理についての知識を持っている」という主張をしてきた。たとえば、人間の言語の文法は「構造依存」である、という考え方がある。これは、文の意味は構成する単語ではなく、その構造によって決まるという意味だ。[4] たとえば、"John ran away.（ジョンは逃げた）" という文は "Away ran John." と書き直すことができる。これは一見、単語の順序を逆にしただけのように見えるが、文法的にはそうではない。英語のわかる人であれば、"The boy ran away.（男の子は逃げた）" を "Away ran boy the." と書き直せないことはわかるだろう。つまり、"John ran away." を "Away ran John." と書き直すルールは、もっと高度で複雑なものだということだ（たとえば、"The boy" の二語は切り離せない、などのルールがある)。

他には「下接原理」というのもある。これは、文の構成部分をどこへどのように動かせるか、ということに関するルールである。たとえば、"He bought a green shirt.(彼は緑のシャツを買った)"という文があったとする。これを元に疑問文を作るとしたら、"A green shirt"という句を"What"に置き換えた上で、文頭に移動することになる。つまり、"What did he buy?(彼は何を買ったのか?)"となるわけだ。英語では、下接原理では、たとえば"What did he buy a green?"とは言えないということだ。下接原理では、"A green shirt"という句の一部だけを移動することは禁じられている。

「再帰(リカージョン)」の原理もある。再帰とは、ある手続きの結果が、同じ手続きの入力として利用される、という現象のことだ。これによって理論的には無限の長さの構造を作り出せる。(5) "He knew it.(彼はそれを知っていた)"という文は、たとえば、"It"の代わりに"Mary was a lawyer.(メアリーは弁護士だった)"という文を挿入することによって拡張できる。さらにこの文を新しい文の中に挿入して、"Bill said he knew Mary was a lawyer.(ビルは、彼がメアリーが弁護士だったことを知っていたと言った)"という文を作ることもできる。さらにこれを"Kim thought Bill said he knew Mary was a lawyer.(キムは、彼がメアリーが弁護士だったことを知っていたとビルが言ったと思った)"のように拡張することも可能だ。これを果てしなく繰り返すことができる。(6)

こうした原理の存在は、「人間は生来、言語の原理についての知識を持っている」という主張の正しさを裏づける証拠だとされることが多い。しかし、言語学者の中には違った見方をする人もいる。人間が言語の原理について生来持っている知識などない、という見方だ。私たちの言語についての知識は、すべて経験によって得られたものであり、構造依存の原理も、下接原理も、再帰の原理も、人間が持つ言語専用でない能力から生じた、と考えるのだ。これは認知の能力であると同時に行動の能力で、言語の学習や処理だけに利用されるものではない。たとえば、統計学習の能力、写像思考の能力、比喩の能力などはこれに含まれる。(7) アデル・ゴールドバーグ、ジョーン・バイビー、エヴァ・ダボロフスカなど、多くの言語学者が、こうした能力があるために、人間は生来の知識がなくても言語を習得できるのだという説明をしている。(8) 要するに、言語のための能力を、チェスのための能力と同じようなものと考えるわけだ。人間は確かにチェスをする唯一の動物ではあるが、チェスについて生来の知識を持つように進化してはいない。(9)

言語学と現実の会話の違い

過去三〇年間、言語学者たちは、言語の能力についてどちらの見方が正しいかを言い争ってきた。(10) その論争のおかげで、言語についての理解が飛躍的に進んだという面もある。しかし、一方で、主流の言語研究に空いた大きな穴がなかなか埋まらなかったのも事実だ。どちらの主張をする人もまず問題なのは、言語、認知という重要な二つの概念を非常に狭く定義していることだ。(11)「言語」は、語、句、文などの要素から成る構造であり、「認知」は、語、句、文などの基礎を成す頭の中の抽象構造である、というふうに定義をしている。たとえば、句というものの言語的構造には注目をするが、会話や講演などの中の句と句の関係などにはほとんど目を向けない。[12] また、個人の頭の中で情報がどう表現されるか、ということには注目するが、会話の際に人間の社会的認知の能力がどうはたらくか、などに目を向ける人はまずいない。

　ここで、本書で何度か使った「ディパート」の例をもう一度、見てみよう。（　）の中は、話者交代に要する時間である（この時間は、実際に録音された音声で計測している。単位はミリ秒だ）。

1. **A**: Dippert's there too.
2. (160ms)
3. **B**: Huh?
4. (140ms)
5. **A**: Dippert is there too.
6. (400ms)
7. **B**: Oh is he?

1. Ａ：ディパートも来たよ。
2. （一六〇ミリ秒）
3. Ｂ：何だって？
4. （一四〇ミリ秒）
5. Ａ：ディパートも来たよ。

6.　（四〇〇ミリ秒）
7.　B：ああ、そうなの。

主流の言語学を学んできた人たちはおそらく、この例に関して、1と5と7の文の文法構造のみに目を向けるだろう。そして、連結詞構文、副詞的補語、代名詞化、助動詞倒置といった専門用語を駆使して、それについて説明してくれるだろう。また、これらの文がなぜ英語において正しいと言えるのか、その根拠となる理論を披露するかもしれないし、英語の文の構造を他の言語と比較するかもしれない。それはそれで重要なことだ。しかし、3の"Huh?"について何か言う人は少ないのではないだろうか。[13] あるいは、話者交代に要する時間（2と4と6）や、会話の全体的な構造について物を言う人も少ないだろう。

「そんなことは言語学の対象ではない」と言う言語学者もいるだろう。"Huh?"は、単に言語の運用の便宜のために使われているだけの言葉であり、言語の運用に何らかの問題が起きていることを表すにすぎない、というような説明をするかもしれない。チョムスキーの考えに沿えばそういうことになる。また、"Huh?"や話者交代のタイミングなどは言語学というよりも、コミュニケーション全般の研究で探求すべきこと、という考えもあるだろう。[14]

しかし、本書で見てきた通り、現実の会話は無秩序なものではないし、"Huh?"などの言葉や、話者交代のタイミングなども決して些末な問題ではなく、立派に言語学の研究対象になり得る。話者交代や会話の修復などについての研究は容易ではないし大変な労力を必要とする。その点は、語や句、文の構造についての研究と変わらないだろう。話者交代や会話の修復は、人間の言語に固有のものではなく、動物のコミュニケーション全般に関わるものなので、人間だけでなく動物のコミュニケーションも対象にして研究すべきだ、という人もいる。しかし、私はそうは考えていない。動物の中にも複雑なコミュニケーションをするものはいるのだが、人間の会話の重要な特徴である、巧妙にタイミングが調整された話者交代や、修復のメカニズム、会話の流れを調整する信号などは人間以外の動物のコミュニケーションには見られない。"Huh?"などの言葉も人間以外の動物は使わない。聴き取りや理解に問題が生じていることを相手に知らせ、注意を喚起するようなシステムは他の動物にはないのだ。また、他の動物は、注意を喚起されたからといって、一度発した言葉を繰り返したり、別の言葉に言い換えたりする義務を感じるようなこともない。

動物が"Huh?"のような言葉を持たないのは、必ずしもこの言葉が高度だからではない。会話時には互いに協力し合うという人間特有の姿勢がないとこの種の言葉は生まれないからだ。また、人間のように会話の流れに関する普遍的なルールを持っていなければ、この種の言葉を使うことはないだろう。私たち人間は皆、このルールを守る道徳的義務を感じている。"Huh?"のような信号は、会話への参加者がそれに関わるルールを認識していて、常に守ろうとしていなければ、まったく機能しないだろう。人間の言語能力について説明しようとすれば、必ず、こうしたルールや道徳的義務についても説明しなくてはならない。社会的認知の枠組みについて言及しない説明ではまったく不十分だろう。

言語のための能力とは何か

認知科学の世界では、何十年もの間、人間の言語がいかなる能力によって実現されているのか、ということが大きな論争の的になってきた。しかし、研究者自身が研究の範囲を限定していたせいで、この問いに答えることが難しくなってしまっていた[15]。会話時の心の動きも間違いなく言語の一部であり、人間に特有のものでもある。また、本書でも見てきた通り、会話こそ、言語の驚くべき特徴、人間ならではの特徴が数多く見つかる場でもある。言語を研究するのであれば、当然、会話に見られるそうした特徴をその対象にしなくてはならないはずである。しかし、現在のところ、言語の基盤となる人間の社会的能力について研究しているのは言語学者ではなく、ほとんどが他の分野の研究者である[16]。

一九九〇年代のはじめから、霊長類学者、進化心理学者のロビン・ダンバーは、人間の言語の進化について研究してきた。ダンバーが注目したのは、人間が大きな集団を作り、その中で濃密な社会生活を営む動物であるという点だ。その生活においては、高度な「社会的知性」が重要な役割を果たすと考えた[17]。社会的動物の個体は、集団内での脅威から互いの身を守るため、あるいは資源の共有のために協力関係を結ぶことが多い。そういう環境では、集団内の個体間の関係を知らせるための何らかの信号が必要になる。誰と誰が仲間なのかを知らせる、知るための手段が必要ということだ。

たとえば、ダンバーが研究対象としたエチオピア高地のゲラダヒヒなどの霊長類では、毛繕い（グルーミング）がその手段となる。社会的な関係を持つ個体どうしは、互いの毛や皮膚を引っ掻いたりつついたりして時間を過ごす。結果的に皮膚が綺麗になることもあるが、それが目的というよりも、毛繕いをすること自体に意味があるようだ。それによって互いの社会的絆が強まる。時間は有限の資源なので、ある個体の毛繕いをすれば、その分、他の個体の毛繕いをする時間はなくなる。毛繕いをした個体の脳内では、快感物質のエンドルフィンが分泌される。また、毛繕いをすれば、その個体間に強い社会関係があることを周囲に知らせる信号となる。集団の構成員すべてが誰と誰が毛繕いをし合っているか知っていれば、たとえば、戦いになった時に誰が誰を守るかが事前に予測できることになる。

言語は、毛繕いの代替物として進化したのではないか、とダンバーは言う。毛繕いのような物理的動作よりも効率的な代替物である。人間の集団は他の霊長類よりも規模が大きいので、より効率的な手段を必要としたということだ。人間の言語では、互いの間で有用な情報が交換されないこともある。単なる世間話や噂話のために言語が使われることもよくあるのだ。私たち人間は意見や感情を他人に伝えるために言語を使うこともあるが、それを通じて人間関係を築くことの方が重要な場合も多い。

ダンバーの研究は進化心理学の分野には大きな影響を与えたが、言語学の世界ではほぼ無視されており、まったく否定する言語学者もいる。言語というものに対する理解があまりに稚拙だと言ってダンバーを批判する人も多い。ジェームズ・ハーフォードのように、ダンバーの考え方そのものには賛同しながらも、「人間の言語の複雑な文法構造については何も言っていない」と批判する言語学者もいる。これが大半の言語学者の共通の意見と言っていいのかもしれない。(18)

霊長類学者で進化心理学者のマイケル・トマセロは、この種の批判に応えるような研究をしてきた。ダンバーと同じく、トマセロも、言語を生み出す人間の能力に注目してきた。特に注目したのはやはり、社会的認知、社会的交流に関わる能力である。ただし、トマセロは、人間と他の動物を比較しているだけではなく、母語を学んでいる段階の人間の幼い子供を対象にした実験を行っている。トマセロは著書『コミュニケーションの起源を探る（松井智子、岩田彩志訳、勁草書房、二〇一三年）』の中で、言語の社会的機能と、文法の特定のレベルでの複雑さの間につながりがあることを示唆している。トマセロの理論によれば、言語はコミュニケーションにおいて、大きく分けて三つの機能を持ち得ることになる。一つは、物やサービスを求める機能、もう一つは、他人に出来事や状況について伝える機能、そして三つ目が、経験や考えを共有する機能だ[19]。

一つ目の、物やサービスを求める機能を使う場合には、比較的、簡単な構文だけで十分だとトマセロは言う。その場合には、関係する物も人も同じ場にいることがほとんどだからだ。求める物を指差すか、求めている物の名前（「水」など）を言うだけで事が足りる場合も多い。

二つ目は、出来事や状況を他人に伝える機能である。この機能は、人間の「向社会的動機」を前提としている——この場合は、情報を提供して他人を助けたい、という欲求のことだ。この機能を使うには、ある程度、複雑な構文が必要になるだろう（トマセロはそれを「本格的な構文（serious syntax）」と呼んでいる）。出来事や状況について伝えるには、今いるのとは違う場所、現在とは違う時に起きたことについて言及しなくてはならないからだ。その場にいない人、その場にない物について言及することも必要になる。

三つ目は、経験や考えを共有する機能である。私たち人間が他人と経験や考えを共有するのは、社会的な関係を築き、維持するためだ。人は互いに物語を語り合うことで、関係を結んでいると言ってもいいだろう。この機能には、トマセロが「想像の構文」と呼ぶ構文が必要になる。これは、物語の中の人物や状況を描写するための複雑な言語構造である。「本格的な構文」よりもさらに複雑なものになる。物語に必要な言語学的な装置の中には、会話に必要とされるものも多い。たとえば、本書の第五章で触れたような、物語を開始、終了するための装置などもそれに含まれるだろう。経験や考えを他人と共有する際にも同様のものが必要になるのだ。それが、トマセロの言う「想像の構文」の要素となる。

トマセロは、人間の他人と社会的関係を結ぼうとする動機と、言語の持つ機能の間には直接の関係があると言っているわけだ。そして、言語の持つ機能にはそれぞれに対応する構文がある。トマセロは確かに、ダンバーに比べると、人間の社会性と言語の文法の関係について踏み込んで考えているとは言える。しかし、簡単な構文と、本格的な構文、想像の構文の間の区別は曖昧であり、世界の言語の文法のはたらきについて説明をしたい言語学者を満足させるには十分な理論ができたとは言えない。人間の言語のための能力が、社会性に根ざしていると言い切るには、文法とのより明確な関係を示す必要がある。そうしないと言語学者たちを納得させることはできないだろう。

言語も進化してきた

この先、進むべき方向についてヒントを提示しているのが、モーテン・クリスチャンセン、ニック・チェイターなどの認知科学者だ。二人は、「人間は生来、言語の原理についての知識を持っている」とするチョムスキーの説を明確に否定している。心理学でこれまでに得られた知見からして、チョムスキーの説が正しいとは考えられないというのだ。言語に使う能力は、言語そのものを使う体験によって生じるとする研究者もいる。認知処理や統計学習のメカニズムと、言語を使う体験が組み合わさることで、言語に必要な能力が身についていくというわけだ[20]。

ここで重要なのは、言語も、生物と同様に進化するものだということだ。生物は長い年月の間、環境圧にさらされることで進化していくが、言語にも同じことが言える。問題は、ここで「環境」という言葉をどう解釈するかということだ。クリスチャンセンとチェイターは、言語の進化にとっての環境とは、人間の脳だと考えた[21]。言語の視点で考えてみよう。言語が習得され、使用される際には、使用する人間の脳を何度も何度も通過することになる。つまり、言語は、人間の脳の特性に適応しなくてはならないということだ。言語の構造が、習得、処理、記憶の容易なものであれば、それだけ生存し、進化を続ける可能性が高くなるだろう。

だが、本書でも見てきた通り、それは話の一部でしかない。個人の脳は、確かに言語が生きるべき環境ではあるが、環境の一つでしかないのだ。言語の研究者は今後、言語の個人の脳への適応だけでなく、会話という複数の人間の脳が関わる場への適応についても探求していく必要があるだろう[22]。

持って生まれた抽象的な原理が言語の基礎だとするチョムスキーの説とは明確に違う観点が必要になるということだ。サンディ・トンプソン、セシリア・フォード、バーバラ・フォックス、エリザベス・クーパー＝クーレンなどの相互作用言語学者は、そういう観点で研究をしている[23]。彼らは、話者交代や修復といった会話の要素は、文法に影響を与えていると主張している。シェーン・ロバーツとスティーブン・レヴィンソンは、その点を確かめるための調査を行った。コンピュータ・モデリングを使い、会話の話者交代システムという「環境」の圧力に文法がどう適応しているかを知ろうとしたのだ[24]。新しい世代の研究者にとっての課題は、それぞれに構造の異なる多数の言語についてこの検証をすることだ[25]。会話の影響が実際に文法の進化に影響を与えているのか、その因果関係の有無を明確にしなくてはならない。会話の中で言語が繰り返し使用されることで、文法は果たしてどう変わっていったのか。

この種の研究においては、複数の時間尺度について同時に検証することが必要になる[26]。いくつもの時間尺度で環境の言語への影響を同時に確認しなくてはならない。一つは、「通時的（ダイアクロニック）」な影響だ。これは何十年、何百年という長い時間の経過中で少しずつ受けてきた影響のことである。歴史の中で環境の影響により言語がどう変化してきたかを検証する。この場合の環境とは、まず、その期間に生きてきたすべての人々である。また、言語の変化が拡散されていった過程そのものも環境だと言える。言語学者は長らく、専らこの通時的な影響について研究してきた。

「ミクロジェネティック」な時間尺度も重要になる。これは、人間の思考の時間尺度だ。この時間尺度では、人間の脳や心の特性が、言語に影響を与えることになる。たとえば、認知処理や記憶に関わる経済原理などが言語を変化させるということだ。

また、「個体発生（オントジェネティック）」の時間尺度——一人の個人が生きている間の時間尺度だ——での検証もしなくてはならない。主に、個人が言語を習得する際（誕生から数年の間が特に重要だ）、その習得のしかたが脳内での言語の処理、構造にどう影響するかを知ることが重要になる。以上、三つの尺度は実は互いに密接に結びついていることがわかってきている。おそらくこの結びつきが、今、私たちが使っている言語の基礎となっていると考えられる。[27] 逆に言えば、三つの時間尺度のいずれか一つでも無視してしまえば、言語がなぜ今のようなものになっているかを完全に理解することはできないということになる。環境の圧力は、三つの時間尺度のすべてで言語のあり方に影響を与えているのだ。

だが、これですべてではない。もう一つ、忘れてはならない時間尺度がある。それは、本書の主なテーマとなっている、「エンクロニック」な時間尺度だ。これは、人間が会話をする際の時間尺度である。話者交代の時間尺度と言ってもいい。会話への参加者は、その中で自分の権利や義務を感じ、互いに影響を与え合うのだ。この時間尺度では、会話中の話者交代のルール、約一秒という時間的な制約が言語にとっての環境となる。自分の番が来たら、できる限り早く話し始めなくてはならない。ほんの何百ミリ秒の遅れでも、相手に割り込まれてしまうかもしれないからだ。話し始めてからは、そのまま長く話し続けたい場合もあれば、すぐに相手の応答が欲しい場合もある。また、相手への強い親愛の情を示したい場合もあれば、そうでない場合もある。いずれにしても、自分の意図通りに話をするためには、事前にどう話すかの計画を立てておく必要があるだろう。

会話の科学という革命

会話のしかたと言語構造の間には、密接な関係がある。会話の際には、当然のことながら、話している言語の文法構造、音声構造に大きな影響を受けることになるからだ。言語を使うために必要な能力は、話す言語に関係なく、おそらくすべての人間に共通だと考えられる。しかし、実際の会話においては、各言語に固有の特性にどうしても影響されることになる。言語ごとの文法の違い――動詞が節の中で前に来るのか後に来るのか、格変化があるのかないのか、主語と動詞で数を一致させるのかさせないのか、など――によって、話者交代、修復など、会話のいくつもの側面が変化することになるだろう。

　文法と会話の関係は、主流の言語学ではほぼ研究されていない[28]。その種のことを研究する分野は、「相互作用言語学」と呼ばれている[29]。主流の言語学では、研究の対象が文――書き言葉の重要な単位だ――であるのに対し、相互作用言語学では、文よりももっと小さな要素を対象とする。それは話者交代において大きな役割を果たす要素だ。第三章でも触れた通り、会話中の人は、相手の言葉がいつ終わりそうかを事前にある程度、予測することができる。そのおかげで適切なタイミングで自分の発言を始めることができるのだ。予測のためには、同時に様々な情報を集めなくてはならない。当然、相手の発言の句や節などの文法的な構造を把握することも必要だが、それに加えて、音節の強勢や長音化といった韻律的な手がかりも大切な情報となる。まだこれから検証をしないと、確たることは言えない。ただ、言語学者のスティーブン・レヴィンソンは、人間が会話相手の発言の終わりをなぜ、どのようにして予測できるのかを正確に説明することは絶対に必要だと言っている。それができなければ、会話の際の話者交代が短時間でこれほど円滑にできる理由が説明できないからだ[30]。

　また、もう一つ主流の言語学との重要な違いは、文以外に、第五章で触れたような「一人語り」、「独白」のような大きな単位にも目を向けるようになったことだ。さらに、会話の流れについても、主流の言語学ではほとんど研究されていない。会話の流れについて詳しく調べれば、人間の社会関係、相互交流における暗黙の義務や権利についてもよくわかるようになるだろう。書き言葉から会話に目を移せば、文法は単に意味を表現し、情報を構築するための道具ではなく、相互交流、社会生活を秩序立てるための道具でもあることが明らかになるはずだ。

この章の冒頭でも書いた通り、人間の言語能力の研究には今、革命が起きようとしている。無関係と思われていた二つの考えが結びつこうとしているからだ。一つは、人間が言語を運用できるのは、社会的認知と相互交流の能力を持っているから、という考えである。そしてもう一つは、人間には言語のためだけの専用の能力がある、という考えだ。言語の運用のためだけに情報の操作をする専用の処理システムがあるという考えである。しかし、当然のことだが、この二つは一方が正しければ、もう一方は正しくない、ということになるはずだ。それこそまさにチョムスキーの見解である。チョムスキーは、人間は生まれつき言語のための専用のシステムを持っていると考えており、そのシステムは、社会的認知や相互交流の能力とは無関係だとしている。言語はたしかに社会的交流に役立つがそれは偶然にすぎないというわけだ。言語はコミュニケーションに利用されるものではあるが、コミュニケーション能力が言語の基盤というわけではないということだ[31]。だが、これは少々、極端な態度というべきだろう。すでに確かな反証が見つかっている今は擁護できない。

現在の言語学では、もっと穏健な態度が主流になっている。二つの考えはそれ自体どちらも正しいが、両者は互いに無関係、とする態度だ。語や句、文の構造、文法などについての研究と、会話における話者交代や、人間の持つ社会的能力などについての研究を個別に行い、二つを結びつけることはしない、という態度である。この態度は確かについ最近まで有効だった。

しかし、それが変わりつつある。二つを分けていても、いつまでも真実はわからない。人間は言語のための専用のシステムを持っているのかもしれない。そして、言語がコミュニケーションや社会的行動の道具であることは間違いない。だとすれば、やはり私たちは二つの間の関係を追究すべきだろう。そうすることで、言語の研究は新たな段階に入ることができるはずだ。

私は本書で数多くの研究を紹介した。私の紹介した研究は様々な点で互いに異なっているのだが、どれも基礎となっている考え方は共通している。それは、人間には、社会的交流のための能力があるという考え方である。人間は「会話機械」を持つ、という考え方だと言ってもいいだろう。この機械は、言語の基本的な特性、人間の社会的認知能力、そして相互交流の文脈などに依存して機能する。

ここで特筆すべきことは三つある。まず、人間は他人との社会関係を結ぶことに真剣に取り組むということだ。社会関係を結ぶことに関しては、義務と責任を感じていると言ってもいい。この義務感、責任感がなければ、会話は決して成り立たないだろう。二つ目は、人間の言語には、自分の言葉について語る機能があるということだ。この「再帰的」な機能がなければ、自分の発言への注目を促すこともできず、誰かが会話のルールを破った時や、会話に修復すべき問題が発生した時に、それを指摘することもできない。三つ目は、会話中、人は、相手の言動をすべて、直前、直後の出来事に関連するものと解釈するということだ。この「関連性の原則」のおかげで、会話中のお互いの言動がすべて結びつくことになる。見方を変えれば、会話中の人は、常に相手の直前の言動とのつながりを意識すべきということだ。相手の言動に注意を向け、それに応えるような行動をする必要がある。

　人間の会話の主要な特徴は、この三つの要素から生じているとも言えるだろう。たとえば、会話中の発言は基本的に一度に一人ずつ、という規則や、話者交代は一秒以内に行われるといった規則は、関連性の原則や、人間の会話に対する義務感、責任感から生まれていると考えられる。また、会話中に何か問題が生じた際に修復を促す場合の規則は、言語の再帰的な機能や、人間の会話への義務感、責任感がなければ生じないものだろう。

　人間の言語のための能力について真に理解しようとするのなら、言語の研究者にはまだすべきことが数多くある。主流の言語学者はこれからも引き続き、世界中の言語の持つ複雑な文法について深く調べていくべきだろう。また、大量のデータを集め、言語の多様性の範囲が果たしてどのくらいなのかを突き止めるべきだろう。だが、それよりもさらに重要なのは、世界中の多様な言語の会話の特性についても、少なくとも文法と同等くらいに詳しい調査をすることだ。会話とはどういうもので、背後にどのような原理があり、言語や文化によってどの程度の違いがあるのかを詳しく調べる必要がある。

　会話の特性、仕組みについて知るには、当然のことながら、人々が日常に交わしている会話のデータを収集しなくてはならない。万国共通の言葉"Huh?"について驚くべき事実がわかるようになったのは、私たちが――まるで生物学者のように――フィールドワークをしてデータを集めたおかげである。名詞や動詞、主語や述語、セマンティクスやシンタックスといった用語を使うことがめったにないため、私たちの会話研究は、主流の言語学とはかけ離れたものに見えるかもしれない。だが、実際にはそうではない。たとえば、"Huh?"のような簡単な言葉について詳しく調べることも、実は主流の言語学の一部に加えるべきなのだと私は考えている。

謝　辞

私が人間の会話の仕組みについて本書に書いたような知見を得られたのは、二〇〇〇年から二〇一四年にかけて、ナイメーヘンのマックス・プランク心理言語学研究所やシドニー大学で多数の同僚たちと協力して実施した社会交流に関する研究プロジェクトのおかげである。「マルチモーダル・インタラクション」、「言語の相互交流の基盤」、「人間の社会性と言語使用のシステム」などと題されたマックス・プランク心理言語学研究所のプロジェクトの参加メンバーやゲスト研究者たち、中でも特にスティーブ・レヴィンソン、ポール・ノックルマン、ビル・ハンクス、エマニュエル・シェグロフ、ハーブ・クラーク、ベティ・クーパー＝クーレン、ポール・ドリュー、ジョン・ヘリテージ、マーク・ディンゲマンス、ルース・パリー、シェーン・ロバーツ、J・P・ド・ルイター、ジャック・シドネル、タニヤ・スティヴァースに感謝したい。本書で引用した、あるいは論じた研究に私とともに取り組んでくれた人たち、また研究に協力してくれた人たちすべて、ジュリア・バラノワ、ジョー・ブライス、ペニー・ブラウン、マーク・ディンゲマンス、ティコ・ダークスマイヤー、ポール・ドリュー、クリスティーナ・イングラート、シメオン・フロイド、ソーニャ・ギッパー、ローザ・ギスラドッティル、マコト・ハヤシ、トリーネ・ハイネマン、ガーティ・ホイマン、コビン・ケンドリック、スティーブ・レヴィンソン、リラ・マギャリ、エリザベス・マンリケ、シェーン・ロバーツ、フェデリコ・ロッサノ、ジョバンニ・ロッシ、リラ・サン・ロケ、フランシスコ・トレイラ、ユン・キョングンに感謝する。

本書に必要なデータを提供してくれたアシフ・ガザンファル、フェリシア・ロバーツ、シェーン・ロバーツ、J・P・ド・ルイター、タニヤ・スティヴァース、フランシスコ・トレイラにも感謝している。私が原稿を書く際に、専門知識を提供して協力してくれたガス・ウィーラー、ジョージア・カーにも感謝したい。

多忙にもかかわらず、私の原稿の一部、あるいは全部を読んで参考になるコメントをくれた人たち、フェリシア・ロバーツ、マーガレット・エンフィールド、ダン・エヴェレット、ヒューゴ・メルシエ、ルース・パリー、J・P・ド・ルイター、タニヤ・スティヴァース、アンナ・ヴァタネン、サマンサ・ウィリアムズにも感謝している。ベーシック・ブックスのティス・タカギ、ヘレン・バーソレミー、そして誰よりも素晴らしい編集をしてくれ、助言もしてくれたT・J・ケレハーに感謝する。

私のエージェント、カティンカ・マトソン、マックス・ブロックマンにもお礼を言いたい。カティンカの献身的な協力、記憶に残る助言がなければ、本書は生まれなかっただろう。プロジェクト開始時にアドバイスをくれたポール・ブルームにも感謝している。もっと早くアドバイスを取り入れていればよかったと後悔もしている。

私の家族、ナー、ニッサ、ノンニカに感謝する。いつも変わらぬ愛情と協力をありがとう。

謝　辞

本書は、私の同僚であり、師でもあるスティーブ・レヴィンソンに捧げる。絶えず私に刺激を与えてくれ、協力を惜しむことがない彼の存在がなければ、本書で紹介したような研究成果が得られることはなかっただろう。

注釈

第一章　はじめに～そもそも言語とはどういうものか

（1）Darwin 1890: 2.

（2）Ibid.: 313

（3）幸い、この状況は変わり始めている。相互作用言語学者などが実際に会話についてどのような研究をしているかについては後の章に書いている。その種の研究に関しては、Schegloff 2007、Sidnell 2010、Sidnell and Stivers 2012、Clift 2016などを参照。

（4）ただし英語は数少ない例外である。英語は世界でも圧倒的に詳しく広範に研究されている言語だ。そのおかげもあり、英語の辞書には、"Huh?"などの語の項目も設けられているのが普通だ。

（5）Darwin 1890: 26.

（6）Ibid.: 27.

（7）本書では、「修復」という言葉を特殊な意味で使っている。会話、話すこと、聴き取り、理解などに何か問題が発生した場合に相手の注意を喚起し、その解決を図ることを指す。本書では、この「修復」について詳しく解説することになる。

（8）Chomsky 1965: 3; この点に関しての私の意見は、Enfield 2015aを参照。

（9）私が本書で「会話機械（Conversation Machine）」と呼んでいるものを最も早い時期から考えていたのは社会学者のハーヴェイ・サックスである。サックス自身も「会話のための機械（Machinery for conversation）」について書いている（McHoul 2005を参照）。同じような意味の言葉としては他に「相互交流エンジン（Interaction Engine）」がある。Enfield and Levinson（2006）とLevinson（2006）を参照。ただし、相互交流エンジンという言葉は、ほぼ個人の認知能力に限定して使う言葉である。その点で、「相互交流マトリックス（Interaction Matrix）」とは違っている。相互交流マトリックスとは、言語の使用方法全般に制約を課す状況的フレームワークのことである。私は、個人の能力と、人間のコミュニケーションの基本的な状況的制約を組み合わせたもののことを「会話機械」と呼んでいる。二つが組み合わさることで、人間の会話は作られると考えているのだ。

（10）この種の研究成果について興味のある読者は、Clark 1996、Sidnell 2010、Sidnell and Stivers 2012、Enfield 2013、Clift 2016を参照。

（11）Pinker 1994: 232.

(12) この点に関しては、Norman (1988) にわかりやすく書かれている。Clark (1997) も参照。

第二章　会話にはルールがある

(1) Searle 1990. https://plato.stanford.edu/entries/shared-agency.も参照。
(2) Gilbert 1992.
(3) 権利と義務があってはじめて真の共同行動ということだ。Michael, Sebanz, and Knoblich 2016を参照。
(4) Gilbert 1992: 3.
(5) Beach 1996: 120.
(6) Atkinson and Drew 1979: 52.
(7) Schegloff 1992: 1310.
(8) Stivers and Rossano 2010: 6.
(9) Rogers and Norton 2011: 139.
(10) Clayman and Heritage 2002: 282.
(11) Schegloff 1980: 107.
(12) Ibid.: 45.
(13) Schegloff 2007: 45.
(14) Ibid.: 47.
(15) Shegloff 1980: 110.
(16) Bolden 2006: 665.
(17) Sacks 1992 (vol. II): 222-228.
(18) www.encyclopaedia.com/pdfs/6/98.pdf.
(19) Perry 2003: 113.
(20) Garfinkel 1967: 42.
(21) Ibid.
(22) Ibid.: 43.
(23) Goffman 1963を参照。

第三章　話者交代のタイミング

(1) Sidnell 2010、Sidnell and Stivers 2012、Clift 2016を参照。
(2) de Ruiter, Mitterer, and Enfield 2006: 516.
(3) Levinson and Torreira 2015: 16.
(4) Riest, Jorschick, and de Ruiter 2015: 65.
(5) 実際には会話中に、話者交代の際に隙間や重複が生じることはあるが、それが即、ルール違反になるかと言えばそうではない。ほとんどの隙間や重複はごくわずかだからである。
(6) http://bionumbers.hms.harvard.edu/bionumber.aspx?s=y&id=100706&ver=0.
(7) Levelt 1989.
(8) Indefrey and Levelt 2004.
(9) Levinson 2016: 8.
(10) Duncan 1974、Duncan and Niederehe 1974. Sacks and colleagues 1974は、ある意味で、ダンカンの研究への回答だとも言える。
(11) Beattie, Cutler, and Pearson 1982.
(12) de Ruiter, Mitterer, and Enfield 2006.
(13) Bögels and Torreira 2015: 55を参照。
(14) Bögels and Torreira 2015.
(15) Ford and Tompson 1996を参照。話者交代の手がかりには多数の種類があることが書かれている。
(16) これは、被験者の68パーセントが、文が終わることをうまく察知できなかったことを示す。文が終わる信号を受け取ることができなかったためだ。実験を行った研究者は、実験に使う文が短すぎたことで起きた現象ではないかと推測している。文を聴く前に文脈がわからないと、文の終わりを正確に察知することが通常よりも難しくなってしまう。重要なのは、実験では、質問がまだ途中なのに文が終わると感じてしまう被験者が多かったことだ。切りつなぎをしていない質問を聴いた場合には誰もそのような間違いをする人はいない。
(17) Lehtonen and Sajavaara 1985: 198.
(18) Reisman 1974.
(19) Ibid.
(20) Tannen 1984.
(21) Stivers et al. 2009、Enfield, Stivers, and Levinson 2010を参照。研究チームのメンバーには、Penelope Brown、

Christina Englert、Makoto Hayashi、Trine Heinemann、Gertie Hoymann、Federico Rossano、Jan Peter de Ruiter、Kyung-Eun Yoon、Stephen Levinsonなども含まれる。
(22) Takahashi, Narayanan, and Ghazanfar 2013.
(23) Ibid.: 2162.
(24) Ibid.: 2165.

第四章　その一秒間が重要

(1) Pomerantz 1984: 77.
(2) Levinson 1983: 335.
(3) Pomerantz and Heritage 2012を参照。質問に関しては、Raymond 2003を参照。
(4) Jefferson 1989. ハーバート・クラークが後に、同様の現象に触れている。
(5) Egeth 1966、Bamber 1969、Bindra, Donderi, and Nishisato 1968、Ratcliff 1987を参照。
(6) Egeth 1966: 249-250.
(7) 71% = 130/183; Stivers 2010: 2779.
(8) Clark and Fox Tree 2002: 84.
(9) Roberts and Francis 2013.
(10) Ibid.: 476.
(11) 私が「オン・タイム・ゾーン」と呼んでいる範囲――相手の発話が終わってから〇・五秒間――は、会話の研究者たちが「トランジション・スペース」と呼んでいる範囲と同じである(Clayman 2013を参照)。
(12) Atkinson and Drew 1979: 58.
(13)「言葉の断片」とは、"well(えーと)"、"um(うーん)"、"so(まあ)"などのことである。この手の言葉は、話されていることがらに関して何らかの情報を提供するというよりも、会話の流れを調整するために使われる。Blakemore (1987) では、この種の言葉の断片には「手続き上の意味」がある、と説明されている(名詞や動詞のような「概念上の意味」ではないということだ)。
(14) Kendrick and Torreira 2015: 273.
(15) Ibid.: 22.
(16) Ibid.: 23.
(17) Stivers et al. 2009: 10589.

(18) Roberts, Margutti, and Takano 2011.
(19) 詳細については、Roberts, Margutti, and Takano 2011の343ページの図を参照。

第五章　信号を発する言葉

(1) Clark and Fox Tree 2002: 73.
(2) Ibid.: 74.
(3) Ibid.
(4) Levelt 1989: 480-481.
(5) Goffman 1981: 293.
(6) Schegloff 2010: 142.
(7) Ibid.
(8) Ibid.: 142-143.
(9) Ibid.: 143-144.
(10) Ibid.: 147-148.
(11) Ibid.: 149.
(12) Ibid.: 149-150.
(13) Ibid.: 151.
(14) Ibid.: 158.
(15) Ibid.: 142. 電話をかけた理由を説明すること自体、その後、相手にとって好ましくない発言をする可能性があることを示している、と考えることもできる。これによってそれまでの世間話の流れを止め、本題に入ることになる。
(16) http://languagelog.ldc.upenn.edu/nll/?p=13713.
(17) Jefferson 1974: 184.
(18) Levelt 1989: 484.
(19) Schegloff 1982: 84.
(20) Clark 1996.
(21) Schegloff 1982.
(22) Clark 1994: 1006-1007.
(23) Bavelas, Coates, and Johnson 2000.

（24）言語学者のチャールズ・グッドウィンは、自身の論文（一九八六年）の中で、聴き手の応答を「継続の促し」と「評価」に分けている。「継続の促し」には、“mm-hmm（ええ）”、“uh-huh（うんうん）”などが含まれる。これは、相手に「そのまま続きを話してください」と伝える応答だ。それに対し、「評価」には、“Wow（うわー）”、“Oh my God（えっ）”などが含まれ、相手の言ったことをどう評価するかを伝える言葉になっている。相手が一人語りを終えた時などによく発せられる。
（25）例はBavelas, Coates, and Johnson 2000: 943より。
（26）Ibid.: 943-944.
（27）Bavelas, Coates, and Johnson 2000: 948.
（28）Rovee and Rovee 1969.
（29）Murray and Trevarthen 1986: 15-29. Striano et al. 2006.
（30）Murray and Trevarthen 1986: 24-25.
（31）Tyack 2003: 360.
（32）Giles 1991を参照。
（33）Turner and West 2010.
（34）Tomasello 2016.
（35）“so”に関しては、Bolden 2006を参照。“oh”に関しては、Heritage 2002を、“OK”に関しては、Bangerter and Clark 2003を参照。この種の「ディスコース・マーカー（談話標識）」全般については、Schiffrin 1998、Wierzbicka 2003を参照。

第六章　質問と答えの関連性

（1）Haimoff 1981: 144.
（2）Rossano 2013: 167.
（3）「関連性」が言語学研究で使われる時には、一般とは違う特別な意味がある。「関連性理論（relevance theory）」という研究分野もある（Sperber and Wilson 1995）。Grice 1989 and Levinson 2000も参照。
（4）Sperber and Wilson 1995: 34.
（5）Garfinkel 1967を参照。
（6）Zeitlyn 1995: 199.
（7）Levinson 1995: 236.

(8) Clark 1979: 430.
(9) Ibid.: 460.
(10) Ibid.: 463.
(11) Ibid.: 464.
(12) Melis et al. 2016: 1.
(13) 「文化的知能仮説を支持すれば、人間には単に『汎用的な知性』があるのだ、とする説を否定することになる。実験によれば、人間の子供とチンパンジーは、物理世界への対応という点では非常によく似た認知能力を持つが、社会的な世界への対応という点では、人間の子供はどの類人猿よりも優れた認知機能を持つとわかっている」(Herrmann et al. 2007: 1360)。

第七章　会話の流れを修復する

(1) Schegloff, Jefferson, and Sacks 1977: 367.
(2) Jefferson 1978a, 1978b, Heritage 1984.
(3) Dingemanse et al. 2015, Dingemanse and Enfield 2015.
(4) 会話分析においては、会話の前進の円滑さを「前進性(progressivity)」と呼ぶ(Stivers and Robinson 2006)。
(5) Schegloff, Jefferson, and Sacks 1977.
(6) Ibid.: 369.
(7) Ibid.: 378.
(8) Clark and Schaefer 1987.
(9) Ibid.
(10) Ibid.: 23.
(11) 英語の会話の構造について学術的なことはSchegloff 2007にわかりやすく書かれている。
(12) Dingemanse et al. 2015, Figure 2, page 5を参照。
(13) チャパラ語、オランダ語、英語、アイスランド語、イタリア語、ラオ語、アルゼンチン手話、標準中国語、ムリンパタ語、ロシア語、シウ語、イェレ語での同様の例は、Open Linguistics誌の二〇一五年版に掲載されている。
(14) "Hmm"や"Huh"は他の意味になることもあり得る。特に違うイントネーションで発音された場合はそうなることが多いだろう。語尾を下げて"Hmm"を発音した場合には、「本当でしょうか」という疑いを表す。"Huh"を語尾を下げて発音した場合には、「それは面白い」という意味になることもある。この点について本書で詳しく書くことはしない。

(15) Bloomfield 1933, Kockelman 2003.
(16) 例はFloyd 2015より。
(17) 例はDingemanse 2015より。
(18) 例はRossi 2015より。
(19) ノルウェー人についてはSvennevig 2008、韓国人についてはKim 1999を参照。
(20) Drew 1997: 76j.
(21) Elizabeth Holt: ref. Holt: X:C:1:1:1:287 (06.20).
(22) Dingemanse et al. 2015, Figure 5, page 9.

第八章　修復キーワードは万国共通

(1) ラオ語の例はEnfield 2015b、シウ語の例はDingemanse 2015、チャパラ語の例は、Simeon Floydのデータ(CHSF2011_02_15S5_1667143)からの引用。Floyd 2015を参照。
(2) Wierzbicka 1996, Dixon 2004, Hauser, Chomsky, and Fitch 2002を参照。
(3) これまでのところ、言語学でなされた「これはすべての言語に共通する」という主張のすべてについて、少なくとも一つは反証が提示されている。たとえば、Everett 2005, 2009, 2012, Nevins, Pesetsky, and Rodringues 2009a, 2009bなどを参照。
(4) Enfield et al. 2013を参照。
(5) スペイン語のデータはFrancisco Torreiraから、チャパラ語のデータはSimeon Floydから提供された。
(6) たとえば、Mazeland (1987: 3)、Schegloff (1997: 506)、Ward (2006: 129) などを参照。
(7) Dingermanse, Torreira, and Enfield 2013.
(8) huh.ideophone.orgを参照。
(9) Tylor 1889: 272.
(10) もちろん、ある日、反証が見つかる可能性を完全に排除することはできない。言語学という帰納的経験科学の特徴である。これからも、実際の言語のデータを集め続ける意義は十分にあるということだ。
(11) Saussure 1916.
(12) Liu et al. 2010.
(13) Kendrick 2015: 151.
(14) このことに関して詳しくは、huh.ideophone.orgを参照。

第九章　結論〜会話の科学が起こす革命

(1) こう考えられる理由は数多くある。Dąbrowska 2004, Levinson and Evans 2010, Everett 2012, Dor 2015, Evans 2015, Christiansen and Charter 2016を参照。

(2) Levinson 2006, Dor, Knight, and Lewis 2014を参照。

(3) 普遍文法に関する最近の議論については、Hauser, Chomsky, and Fitch 2002、Evans and Levinson 2009、Everett 2012を参照。チョムスキーは現在、普遍文法とは、言語を構成する語と、チョムスキーが「併合(merge)」と呼ぶ唯一の強力な構文規則の組み合わせだとしている(Chomsky 2012: 41)。「普遍文法」という言葉は、ここで言う「狭義の能力」の意味に使うべきだろう。つまり、人間だけが生来持っている、言語のための専用の能力という意味だ。困るのは、この言葉が時にここで言う「広義の能力」に使われ、混乱を招くことだ(Chomsky 2011: 264)。

(4) Neil Smithは、www.theguardian.com/science/audio/2017/jan/11/universal-grammar-are-we-born-knowing-the-rules-of-language-science-weekly-podcastの8分55秒あたりで、この点について話している。

(5) Hauser, Chomsky, and Fitch 2002, Christiansen and Chater 2016, Everett 2005.

(6) 普遍文法に関しては、長年の間に多数の原理が提案されているが、チョムスキーは、今では、「再帰」を除くすべてを否定している。再帰は、チョムスキーが「併合」と呼ぶ文法規則として具現化されている。これにより、二つの構造を組み合わせて一つにすることができる。Hauser, Chomsky, and Fitch 2002、Chomsky 2012: 41を参照。

(7) Goldberg 2006, Bybee 2010, Everett 2012, Langacker 1987, Evans and Levinson 2009, Prinz 2012.

(8) Ansaldo and Enfield 2016、Goldberg 2006、Bybee 2010、Dąbrowska 2004、Evans and Levinson 2009の解説を参照。Everett 2012、Langacker 1987、Croft 2001、Evans 2015、Christiansen and Chater 2016も参照。

(9) Prinz 2012, Everett 2012, Evans 2015.

(10) Langacker (1987) は、「言語は、人間の言語専用でない能力によって支えられている」という主張に関して大きな影響力のある論文だ。Evans and Levinson 2009には、この点に関する力のこもった解説の長いリストが載っている。Everett 2012、Evans 2015や、そこで紹介されている多数の参考文献も参照。

(11) ただし、二つの概念それぞれについて研究することには当然、価値がある。

(12) Chafe 1994、Lambrecht 1994、Halliday 1994、Martin and Rose 2007といった機能主義者の文献を参照。

(13) 言語学者であれば、当然、"Huh?"は間投詞に分類するだろう。しかし、間投詞は一応、語ではあるものの、間投詞に文法はないという見方が言語学では昔から一般的だ(Bloomfield 1933、Kockelman 2003を参照)。だとすると、"Huh?"は言語の周縁に追いやられることになる。

(14) Chomsky 1965: 3。Enfield 2015a と Clark and Fox Tree 2002も参照。

(15)言語学者のスティーブン・アンダーソンは、二〇〇四年の著書『ドリトル先生の妄想(*Doctor Dolittle's Delusion* 未邦訳、2004)』で、人間の言語がどのようにして実現されているかについて考察している。ただ、注目するのは構文(シンタックス)――句や文を作る際の原理――のみで、会話、修復、話者交代、協調、関連性といった要素に関してはまったく触れられない。言語学者のレイ・ジャッケンドフは二〇〇二年の名著『言語の基盤(*Foundations of Language* 未邦訳)』の中で、五〇〇ページ近くのうちわずか三ページほどを会話に割いている。ジャッケンドフは、会話は文のレベルを超えた構造だとした。ニック・エヴァンズ、スティーヴ・レヴィンソンでさえ、二〇〇九年の有名な論文"The Myth of Language Universals(言語は普遍的という神話)"の中で、言語の多様性や文脈には強い関心を示しているものの、会話や修復、話者交代、協調、関連性などにはほとんど言及していない。

(16)ここで私は、社会学(Sidnell and Stivers 2012)、人類学(Enfield, Kockelman, and Sidnell 2014)といった分野での社会的文脈における言語についての多数の研究には言及していない。私が言及しているのは、人類という種が持つ言語のための能力についての研究だ。

(17)Dunbar 1993, 1996.

(18)Hurford 1999: 182.

(19)Tomasello 2008の二九四ページの概略図を参照。

(20)Christiansen and Chater 2016.

(21)Chrisitansen and Chater 2008.

(22)ChaterとChristiansenの論文について私が公開で行った解説には、"Language as Shaped by Social Interaction(社会的交流によって形成される言語)"という題をつけた。その中では、単位貢献と応答の双方の偶発性が、言語の構造を直接形作る要素となっていると主張することもできる、としている(Enfield 2008: 520)。Roberts and Levinson (2017) も参照。その中では、「言語構造への最大の機能圧は、言語が主に使用されるまさにその条件から生じている可能性が高い。その条件(ニッチ)とは会話だろう」と述べられている。Roberts and Levinson 2015も参照。この点に関する先駆的な研究については、Schegloff 1989を参照。

(23)Thompson, Fox, and Couper-kuhlen 2015、Schegloff, Ochs, and Thompson 1996を参照。

(24)Roberts and Levinson 2015, 2017。この点に関する先駆的な研究については、Thompson 1998とSchegloff 1989を参照。

(25)この手の研究はすでに始まっている(Dingemanse and Enfield 2015: 97-98を参照)。相互作用言語学の分野では、ドイツ語、スウェーデン語、フィンランド語、日本語など、多数の言語を対象とした研究論文が出されている――とはいえ、対象となる言語の多様性の程度は、文法の研究に比べるとはるかに低い。

(26) 私は著書『言語の自然原因(*Natural Causes of Language* 未邦訳、2014)』の中でこの点に関して専門的な説明をしている。Christiansen and Chater 2016も参照。

(27) Enfield 2014, Steffenson and Fill 2013, Uryu, Steffenson, and Kramsch 2014, Rączaszek-Leonardi 2010, Christiansen and Chater 2016.

(28) この種の研究は近年、二〇一一年から二〇一五年にかけて、スティーブン・レヴィンソンと、マックス・プランク心理言語学研究所の先駆的なINTERACTプロジェクトのメンバーによって実施された。Roberts and Levinson 2015, 2017を参照。

(29) たとえば、Thompson, Fox, and Couper-Kuhlen 2015を参照。

(30) Levinson 1983: 140. スティーブン・レヴィンソンは最近、話者交代のタイミング予測の問題に関する画期的な研究を監督した(話者交代に関しては、Holler et al. 2015も参照)。

(31) Bolhuis et al. 2014. Piantadosi, Tily, and Gibson 2012も参照。

参考文献（著者名アルファベット順）

Anderson, Stephen R. 2004. *Doctor Dolittle's Delusion.* New Haven: Yale University Press.

Ansaldo, Umberto, and N. J. Enfield, eds. 2016. *Is the Language Faculty Nonlinguistic?* Lausanne, Switzerland: Frontiers Media.

Atkinson, J. Maxwell, and Paul Drew. 1979. *Order in Court.* Atlantic Highlands, NJ: Humanities Press.

Bamber, Donald. 1969. "Reaction Times and Error Rates for 'Same'-'Different' Judgements of Multidimensional Stimuli." *Perception and Psycholinguistics* 6(3): 167-174.

Bangerter, Adrian, and Herbert H. Clark. 2003. "Navigating Joint Projects with Dialogue." *Cognitive Science* 27: 195-225.

Bavelas, Janet, Linda Coates, and Trudy Johnson. 2000. "Listeners as Co-Narrators." *Journal of Personality and Social Psychology* 78 (6): 941-952.

Beach, Wayne A. (1996). *Conversations About Illness: Family Preoccupations with Bulimia.* Mahwah, NJ: Erlbaum.

Beattie, Geoffrey, Anne Cutler, and Mark Pearson. 1982. "Why Is Mrs. Thatcher Interrupted So Often?" *Nature* 300: 744-747.

Bindra, Dalbir, Don C. Donderi, and Shizuhiko Nishisato. 1968. "Decision Latencies of 'Same' and 'Different' Judgements." *Perception and Psychophysics* 3: 121-136.

Blakemore, Diane. 1987. *Semantic Constraints on Relevance.* Oxford: Blackwell.

Bloomfield, Leonard. 1933. *Language.* New York: Holt.

Bögels, Sara, and Francisco Torreira. 2015. "Listeners Use Intonational Phrase Boundaries to Project Turn Ends in Spoken Interaction." *Journal of Phonetics* 52: 46-57.

Bolden, Galina B. 2006. "Little Words That Matter: Discourse Markers 'So' and 'Oh' and the Doing of Other-Attentiveness in Social Interaction." *Journal of Communication* 56: 661-688.

Bolhuis, Johan J., Ian Tattersall, Noam Chomsky, and Robert C. Berwick. 2014. "How Could Language Have Evolved?" *PLoS Biology* 12 (8). doi: 10.1371/journal.pbio.1001934.

Bybee, Joan. 2010. *Language, Usage and Cognition.* Cambridge: Cambridge University Press.

Chafe, Wallace. 1994. *Discourse, Consciousness, and Time: The Flow and Displacement of Conscious Experience in*

Speaking and Writing. Chicago: University of Chicago Press.

Chomsky, Noam A. 1965. *Aspects of the Theory of Syntax.* Cambridge: MIT Press.〔『統辞理論の諸相——方法論序説』(抄訳)福井直樹・辻子美保子訳、岩波文庫〕

Chomsky, Noam A. 2011. “Language and Other Cognitive Systems: What Is Special About Language?” *Language Learning and Development* 7 (4): 263-278. doi:10.1080/15475441.2011.584041.

Chomsky, Noam A. 2012. *The Science of Language.* Cambridge: Cambridge University Press.〔『言語の科学——ことば・心・人間本性』成田広樹訳、岩波書店〕

Christiansen, Morten H., and Nick Chater. 2008. “Language as Shaped by the Brain.” *Behavioral and Brain Sciences* 31 (5): 489-509.

Christiansen, Morten H., and Nick Chater. 2016. *Creating Language: Integrating Evolution, Acquisition, and Processing.* Cambridge: MIT Press.

Clark, Andy. 1997. *Being There: Putting Brain, Body, and World Together Again.* Cambridge: MIT Press.〔『現れる存在——脳と身体と世界の再統合』池上高志・森本元太郎監訳、ハヤカワ文庫ＮＦ〕

Clark, Herbert H. 1979. “Responding to Indirect Speech Acts.” *Cognitive Psychology* 11: 430-477

Clark, Herbert H. 1994. “Discourse in Production.” In *Handbook of Psycholinguistics,* edited by M. A. Gernsbacher, 985-1021. San Diego: Academic Press.

Clark, Herbert H. 1996. *Using Language.* Cambridge: Cambridge University Press.

Clark, Herbert H., and Jean E. Fox Tree. 2002. “Using Uh and Um in Spontaneous Speaking.” *Cognition* 84: 73-111.

Clark, Herbert H., and E. F. Schaefer. 1987. “Contributing to Discourse.” *Cognitive Science* 13: 259-294.

Clayman, Steven, 2013. “Turn-Constructional Units and the Transition-Relevance Place.” In *The Handbook of Conversation Analysis,* edited by Jack Sidnell and Tanya Stivers, 150-166. Hoboken, NJ: Blackwell.

Clayman, Steven, and John Heritage. 2002. *The News Interview: Journalists and Public Figures on the Air.* New York: Cambridge University Press.

Clift, Rebecca. 2016. *Conversation Analysis.* New York: Cambridge University Press.

Croft, William. 2001. *Radical Construction Grammar: Syntactic Theory in Typological Perspective.* Oxford: Oxford University Press.〔『ラディカル構文文法——類型論的視点から見た統語理論』山梨正明監訳・渋谷良方訳、研究社〕

Dąbrowska, Ewa. 2004. *Language, Mind and Brain: Some Psychological and Neurological Constraints on Theories of Grammar.* Edinburgh: Edinburgh University Press.

Darwin, Charles. 1890. *The Formation of Vegetable Mould Through the Action of Worms, with Observations on Their Habits.* New York: Appleton. 〔『ミミズによる腐植土の形成』渡辺政隆訳、光文社古典新訳文庫〕

de Ruiter, Jan Peter, Holger Mitterer, and N. J. Enfield. 2006. "Projecting the End of a Speaker's Turn: A Cognitive Cornerstone of Conversation." *Language* 82 (3): 515-535.

Dingemanse, Mark. 2015. "Other-Initiated Repair in Siwu." *Open Linguistics* 1: 232-255. doi: 10.1515/opli-2015-0001.

Dingemanse, Mark, and N. J. Enfield. 2015. "Other-Initiated Repair Across Languages: Towards a Typology of Conversational Structures." *Open Linguistics* 1: 96-118. doi: 10.2478/opli-2014-0007.

Dingemanse, Mark, Sean G. Roberts, Julija Baranova, Joe Blythe, Paul Drew, Simeon Floyd, Rosa S. Gisladottir, et al. 2015. "Universal Principles in the Repair of Communication Problems." *PLoS ONE* 10 (9): e0136100. doi: 10.1371/journal.pone.0136100.

Dingemanse, Mark, Francisco Torreira, and N. J. Enfield. 2013. "Is 'Huh?' a Universal Word? Conversational Infrastructure and the Convergent Evolution of Linguistic Items." *PLoS ONE* 8 (11) : e78273. doi: 10.1371/journal.pone.0078273.

Dixon, R. M. W. 2004. "Adjective Classes in Typological Perspective." In *Adjective Classes: A Cross-Linguistic Typology,* edited by R. M. W. Dixon and Alexandra Y. Aikhenvald, 1-49. Oxford: Oxford University Press.

Dor, Daniel. 2015. *The Instruction of Imagination: Language as a Social Communication Technology.* Oxford: Oxford University Press.

Dor, Daniel, Chris Knight, and J. Lewis, eds. 2014. *The Social Origins of Language: Studies in the Evolution of Language.* Oxford: Oxford University Press.

Drew, Paul. 1997. "'Open' Class Repair Initiators in Response to Sequential Sources of Trouble in Conversation." *Journal of Pragmatics* 28: 69-101.

Dunbar, Robin I. M. 1993. "Coevolution of Neocortical Size, Group Size, and Language in Humans." *Behavioral and Brain Sciences* 16: 681-735.

Dunbar, Robin I. M. 1996. *Grooming, Gossip and the Evolution of Language.* London: Faber and Faber. 〔『ことばの起源――猿の毛づくろい、人のゴシップ』松浦俊輔・服部清美訳、青土社〕

Duncan, Starkey. 1974. "On the Structure of Speaker-Auditor Interaction During Speaking Turns." *Language in Society* 3 (2): 161-180.

Duncan, Starkey, and G. Niederehe. 1974. "On Signalling That It's Your Turn to Speak." *Journal of Experimental Social*

Psychology 10 (3): 234-247.

Egeth, Howard. 1966. "Parallel Versus Serial Processes in Multidimensional Stimulus Discrimination." *Perception and Psychophysics* 1: 245-252.

Enfield, N. J. 2008. "Language as Shaped by Social Interaction [Commentary on Christiansen and Chater]." *Behavioral and Brain Sciences* 31 (5): 519-520. doi: 10.1017/S0140525X08005104.

Enfield, N. J. 2013. *Relationship Thinking: Agency, Enchrony, and Human Sociality.* New York: Oxford University Press. 〔『やりとりの言語学――関係性思考がつなぐ記号・認知・文化』井出祥子監修、横森大輔ほか訳、大修館書店〕

Enfield, N. J. 2014. *Natural Causes of Language: Frames, Biases, and Cultural Transmission.* Berlin: Language Science Press.

Enfield, N. J. 2015a. "A Science of Language Should Deal Only with 'Competence.'" In *This Idea Must Die: Scientific Theories That Are Blocking Progress,* edited by John Brockman, 243-244. New York: Harper Perennial.

Enfield, N. J. 2015b. "Other-Initiated Repair in Lao." *Open Linguistics* 1: 119-144.

Enfield, N. J., Mark Dingemanse, Julija Baranova, Joe Blythe, Penelope Brown, Tyko Dirksmeyer, Paul Drew, et al. 2013. "Huh? What?—A First Survey in 21 Languages." In *Conversational Repair and Human Understanding,* edited by Makoto Hayashi, Geoffrey Raymond, and Jack Sidnell, 30: 343-380. Studies in Interactional Sociolinguistics. New York: Cambridge University Press.

Enfield, N. J., Paul Kockelman, and Jack Sidnell, eds. 2014. *The Cambridge Handbook of Linguistic Anthropology.* Cambridge: Cambridge University Press.

Enfield, N. J., and Stephen C. Levinson. 2006. "Introduction: Human Sociality as a New Interdisciplinary Field." In *Roots of Human Sociality: Culture, Cognition, and Interaction,* edited by N. J. Enfield and Stephen C. Levinson, 1-38. Oxford: Berg.

Enfield, N. J., Tanya Stivers, and Stephen C. Levinson, eds. 2010. "Question-Response Sequences in Conversation Across Ten Languages." Special issue of *Journal of Pragmatics* 42 (10).

Evans, Nicholas D., and Stephen C. Levinson. 2009. "The Myth of Language Universals: Language Diversity and Its Importance for Cognitive Science." *Behavioral and Brain Sciences* 32 (5): 429-448.

Evans, Vyvyan. 2015. *The Crucible of Language: How Language and Mind Create Meaning.* Cambridge: Cambridge University Press.

Everett, Daniel L. 2005. "Cultural Constraints on Grammar and Cognition in Pirahã." *Current Anthropology* 46 (4): 621-

646.
Everett, Daniel L. 2009. "Pirahã Culture and Grammar: A Response to Some Criticisms." *Language* 85 (2): 405-442.
Everett, Daniel L. 2012. *Language: The Cultural Tool.* London: Profile.
Floyd, Simeon. 2015. "Other-Initiated Repair in Cha'palaa." *Open Linguistics* 1 (1): 467-489. doi: 10.1515/opli-2015-0014.
Ford, C. E., and S. A. Thompson. 1996. "Interactional Units in Conversation: Syntactic, Intonational, and Pragmatic Resources for the Management of Turns." *Studies in Interactional Sociolinguistics* 13: 134-184.
Garfinkel, Harold. 1967. *Studies in Ethnomethodology.* Englewood Cliffs, NJ: Prentice-Hall.
Gilbert, Margaret. 1992. *On Social Facts.* Princeton, NJ: Princeton University Press.
Giles, Howard. 1991. "Accommodation Theory: Communication Context and Consequence." In *Contexts of Accommodation,* edited by Howard Giles, Justine Coupland, and N. Coupland, 1-68. New York: Cambridge University Press.
Goffman, Erving. 1963. *Stigma: Notes on the Management of Spoiled Identity.* New York: Touchstone.〔『スティグマの社会学——烙印を押されたアイデンティティ』石黒毅訳、せりか書房〕
Goffman, Erving. 1981. *Forms of Talk.* Philadelphia: University of Pennsylvania Press.
Goldberg, Adele E. 2006. *Constructions at Work: The Nature of Generalization in Language.* Oxford: Oxford University Press.
Goodwin, Charles. 1986. "Between and Within: Alternative Treatments of Continuers and Assessments." *Human Studies* 9: 205-217.
Grice, H. Paul. 1989. *Studies in the Way of Words.* Cambridge: Harvard University Press.〔『論理と会話』清塚邦彦訳、勁草書房〕
Haimoff, Elliott H. 1981. "Video Analysis of Siamang (Hylobates Syndactylus) Songs." *Behaviour* 76 (1/2): 128-151.
Halliday, M. A. K. 1994. *Introduction to Functional Grammar.* 2nd ed. London: Edward Arnold.〔『機能文法概説——ハリデー理論への誘い』山口登・筧壽雄訳、くろしお出版〕
Hauser, Marc D., Noam Chomsky, and W. Tecumseh Fitch. 2002. "The Faculty of Language: What Is It, Who Has It, and How Did It Evolve." *Science* 298: 1569-1579.
Heritage, John. 1984. *Garfinkel and Ethnomethodology.* Cambridge: Polity.
Heritage, John. 2002. "Oh-Prefaced Responses to Assessments: A Method of Modifying Agreement/Disagreement." In *The Language of Turn and Sequence,* edited by C. E. Ford, Barbara Fox, and Sandra A. Thompson, 196-224. New

York: Oxford University Press.

Herrmann, Esther, Josep Call, María Victoria Hernández-Lloreda, Brian Hare, and Michael Tomasello. 2007. "Humans Have Evolved Specialized Skills of Social Cognition: The Cultural Intelligence Hypothesis." *Science* 317: 1360-1366.

Holler, Judith, Kobin H. Kendrick, Marisa Casillas, and Stephen C. Levinson, eds. 2015. *Turn-Taking in Human Communicative Interaction.* Lausanne, Switzerland: Frontiers Media.

Hurford, James R. 1999. "The Evolution of Language and Languages." In *The Evolution of Culture,* 173-193. Edinburgh: Edinburgh University Press.

Indefrey, Peter, and Willem J. M. Levelt. 2004. "The Spatial and Temporal Signatures of Word Production Components." *Cognition* 92: 101-144. doi: 10.1016/j.cognition.2002.06.001.

Jackendoff, Ray. 2002. *Foundations of Language: Brain, Meaning, Grammar, Evolution.* Oxford: Oxford University Press. 〔『言語の基盤――脳・意味・文法・進化』郡司隆男訳、岩波書店〕

Jefferson, Gail. 1974. "Error Correction as an Interactional Resource." *Language in Society* 2: 181-199.

Jefferson, Gail. 1978a. "Sequential Aspects of Storytelling in Conversation." In *Studies in the Organization of Conversational Interaction,* edited by Jim Schenkein, 219-248. New York: Academic Press.

Jefferson, Gail. 1978b. "What's in a 'Nyem'?" *Sociology* 1 (1): 135-139.

Jefferson, Gail. 1989. "Preliminary Notes on a Possible Metric Which Provides for a 'Standard Maximum' Silence of Approximately One Second in Conversation." In *Conversation: An Interdisciplinary Perspective,* edited by D. Roger and P. Bull, 166-196. Clevedon:Multilingual Matters.

Kendrick, Kobin H. 2015. "The Intersection of Turn-Taking and Repair: The Timing of Other-Initiations of Repair in Conversation." *Frontiers in Psychology* 6: 250. doi: 10.3389/fpsyg.2015.00250.

Kendrick, Kobin H., and Francisco Torreira. 2015. "The Timing and Construction of Preference: A Quantitative Study." *Discourse Processes* 52 (4): 255-289.

Kim, Kyu-hyunn. 1999. "Other-Initiated Repair Sequences in Korean Conversation: Types and Functions." *Discourse and Cognition* 6: 141-168.

Kockelman, Paul. 2003. "The Meanings of Interjections in Q'eqchi' Maya: From Emotive Reaction to Social and Discursive Action." *Current Anthropology* 44 (4): 467-490.

Lambrecht, Knud. 1994. *Information Structure and Sentence Form: Topic, Focus and the Mental Representations of Discourse Referents/Grammatical Relations.* Cambridge: Cambridge University Press.

Langacker, Ronald W. 1987. *Foundations of Cognitive Grammar: Volume I, Theoretical Prerequisites.* Stanford: Stanford University Press.

Lehtonen, Jaakko, and Kari Sajavaara. 1985. "The Silent Finn." In *Perspectives on Silence,* edited by Deborah Tannen and Muriel Saville-Troike, 193-204. Norwood, NJ: Ablex.

Levelt, Willem J. M. 1989. *Speaking: From Intention to Articulation.* Cambridge: MIT Press.

Levinson, Stephen C. 1983. *Pragmatics.* Cambridge: Cambridge University Press.〔『英語語用論』安井稔・奥田夏子訳、研究社〕

Levinson, Stephen C. 1995. "Interactional Biases in Human Thinking." In *Social Intelligence and Interaction: Expressions and Implications of the Social Bias in Human Intelligence,* edited by Esther N. Goody, 221-260. Cambridge: Cambridge University Press.

Levinson, Stephen C. 2000. *Presumptive Meanings: The Theory of Generalized Conversational Implicature.* Cambridge: MIT Press.〔『意味の推定――新グライス学派の語用論』田中廣明・五十嵐海理訳、研究社〕

Levinson, Stephen C. 2006. "On the Human 'Interaction Engine.'" In *Roots of Human Sociality: Culture, Cognition and Interaction,* edited by N. J. Enfield and Stephen C. Levinson, 39-69. Oxford: Berg.

Levinson, Stephen C. 2016. "Turn-Taking in Human Communication—Origins and Implications for Language Processing." *Trends in Cognitive Sciences* 20 (1): 6-14.

Levinson, S. C., and N. Evans. 2010. "Time for a Sea-Change in Linguistics: Response to Comments on 'The Myth of Language Universals.'" *Lingua* 120: 2733-2758.

Levinson, Stephen C., and Francisco Torreira. 2015. "Timing in Turn-Taking and Its Implications for Processing Models of Language." *Frontiers in Psychology* 6 (731): 10-26.

Liu, Y., J. A. Cotton, B. Shen, X. Han, S. J. Rossiter, and S. Zhang. 2010. "Convergent Sequence Evolution Between Echolocating Bats and Dolphins." *Current Biology* 20 (2): R53-R54. doi: 10.1016/j.cub.2009.11.058.

Martin, J. R., and David Rose. 2007. *Working with Discourse: Meaning Beyond the Clause.* London: Continuum.

Mazeland, Harrie. 1987. "A Short Remark on the Analysis of Institutional Interaction: The Organization of Repair in Lessons." In *International Pragmatics Association (IPrA) Conference Proceedings.* Antwerp.

McHoul, Alec. 2005. Aspects of Aspects: On Harvey Sacks's "Missing" Book, *Aspects of the Sequential Organization of Conversation* (1970). Human Studies 28, 113-128.

Melis, Alicia P., Patricia Grocke, Josefine Kalbitz, and Michael Tomasello. 2016. "One for You, One for Me: Humans'

Unique Turn-Taking Skills." *Psychological Science OnlineFirst,* 1-10. doi: 10.1177/0956797616644070.

Michael, John, Natalie Sebanz, and Günther Knoblich. 2016. "The Sense of Commitment: A Minimal Approach." *Frontiers in Psychology* 6 (1968). doi: 10.3389/fpsyg.2015.01968.

Murray, Lynne, and Colwyn Trevarthen. 1986. "The Infant's Role in Mother-Infant Communications." *Journal of Child Language* 13 (1): 15-29. doi: https://doi.org/10.1017/S0305000900000271.

Nevins, Andrew, David Pesetsky, and Cilene Rodrigues.2009a. "Evidence and Argumentation: A Reply to Everett (2009)." *Language* 85 (3): 671-681.

Nevins, Andrew, David Pesetsky, and Cilene Rodrigues. 2009b. "Pirahã Exceptionality: A Reassessment." *Language* 85: 355-404.

Norman, Donald A. 1988. *The Design of Everyday Things.* New York: Basic Books. 〔『誰のためのデザイン?――認知科学者のデザイン原論』野島久雄ほか訳、新曜社〕

Perry, Susan. 2003. "Coalitionary Aggression in White-Faced Capuchins." In *Animal Social Complexity: Intelligence, Culture, and Individualized Societies,* edited by Frans B. M. de Waal and Peter L. Tyack, 111-114. Cambridge: Harvard University Press.

Piantadosi, Steven T., Harry Tily, and Edward Gibson. 2012. "The Communicative Function of Ambiguity in Language." *Cognition* 122: 28-129.

Pinker, Steven. 1994. *The Language Instinct: How the Mind Creates Language.* New York: William Morrow. 〔『言語を生みだす本能』上下、椋田直子訳、ＮＨＫ出版〕

Pomerantz, Anita. 1984. "Agreeing and Disagreeing with Assessments: Some Features of Preferred/Dispreferred Turn Shapes." In *Structures of Social Action: Studies in Conversation Analysis,* edited by J. Maxwell Atkinson and John Heritage, 57-101. Cambridge: Cambridge University Press.

Pomerantz, Anita, and John Heritage. 2012. "Preference." In *The Handbook of Conversation Analysis,* edited by Jack Sidnell and Tanya Stivers, 210-228. Oxford: Wiley-Blackwell.

Prinz, Jesse J. 2012. *Beyond Human Nature: How Culture and Experience Shape Our Lives.* London: Allen Lane.

Rączaszek-Leonardi, J. 2010. "Multiple Time-Scales of Language Dynamics: An Example from Psycholinguistics." *Ecological Psychology* 22 (4): 269-285.

Ratcliff, Roger. 1987. "More on the Speed and Accuracy of Positive and Negative Responses." *Psychological Review* 94 (2): 277-280.

Raymond, Geoffrey. 2003. "Grammar and Social Organization: Yes/No Interrogatives and the Structure of Responding." *American Sociological Review* 68: 939-967.

Reisman, Karl. 1974. "Contrapuntal Conversations in an Antiguan Village." In *Explorations in the Ethnography of Speaking,* edited by Richard Bauman and Joel Sherzer, 110-124. Cambridge: Cambridge University Press.

Riest, Carina, Annette B. Jorschick, and Jan P. de Ruiter. 2015. "Anticipation in Turn-Taking: Mechanisms and Information Sources." *Frontiers in Psychology* 6 (89): 62-75. doi: https://doi.org/10.3389/fpsyg.2015.00089.

Roberts, Felicia, and Alexander L. Francis. 2013. "Identifying a Temporal Threshold of Tolerance for Silent Gaps After Requests." *Journal of the Acoustic Society of America* 133 (6): 471-477.

Roberts, Felicia, Piera Margutti, and Shoji Takano. 2011. "Judgements Concerning the Valence of Inter-Turn Silence Across Speakers of American English, Italian, and Japanese." *Discourse Processes* 48 (5): 331-354.

Roberts, Seán G., and Stephen C. Levinson. 2015. "On-Line Pressures for Turn-Taking Constrain the Cultural Evolution of Word Order." In *Workshop on Cognitive Linguistics and the Evolution of Language.* Newcastle University, UK.

Roberts, Seán G., and Stephen C. Levinson. 2017. "Conversation, Cognition and Cultural Evolution: A Model of the Cultural Evolution of Word Order Through Pressures Imposed from Turn Taking in Conversation," edited by S. Hartmann, M. Pleyer, J. Winters, and J. Zlatev. *Interaction Studies* (special issue on Interaction and Iconicity in the Evolution of Language).

Rogers, T., and M. I. Norton. 2011. "The Artful Dodger: Answering the Wrong Question the Right Way." *Journal of Experimental Psychology: Applied* 17 (2): 139-147.

Rossano, Federico. 2013. "Sequence Organization and Timing of Bonobo Mother-Infant Interactions." *Interaction Studies* 14 (2): 160-189.

Rossi, Giovanni. 2015. "Other-Initiated Repair in Italian." *Open Linguistics* 1: 256-282.

Rovee, C. K., and D. T. Rovee. 1969. "Conjugate Reinforcement of Infant Exploratory Behavior." *Journal of Experimental Child Psychology* 8: 33-39.

Sacks, Harvey. 1992. *Lectures on Conversation.* London: Blackwell.

Sacks, Harvey, Emanuel A. Schegloff, and Gail Jefferson. 1974. "A Simplest Systematics for the Organization of Turn-Taking for Conversation." *Language* 50 (4): 696-735.

Saussure, Ferdinand de. 1916. *Cours De Linguistique Générale.* Paris: Payot.〔『新訳ソシュール 一般言語学講義』町田健訳、研究社など〕

Schegloff, Emanuel A. 1980. "Preliminaries to Preliminaries: 'Can I Ask You a Question?'" Edited by D. Zimmerman and C. West. *Sociological Inquiry* 50 (3-4): 104-152.

Schegloff, Emanuel A. 1982. "Discourse as an Interactional Achievement: Some Uses of 'Uh Huh' and Other Things That Come Between Sentences." In *Georgetown University Roundtable on Languages and Linguistics 1981; Analyzing Discourse: Text and Talk,* edited by Deborah Tannen, 71-93. Washington, DC: Georgetown University Press.

Schegloff, Emanuel A. 1989. "Reflections on Language, Development, and the Interactional Character of Talk-in-Interaction." In *Interaction in Human Development,* edited by Marc H. Bornstein and Jerome S. Bruner, 139-153. Hillsdale, NJ: Lawrence Erlbaum.

Schegloff, Emanuel A. 1992d. "Repair After Next Turn: The Last Structurally Provided Defense of Intersubjectivity in Conversation." *American Journal of Sociology* 97 (5): 1295-1345.

Schegloff, Emanuel A. 1997. "Practices and Actions: Boundary Cases of Other-Initiated Repair." *Discourse Processes* 23 (3): 499-545.

Schegloff, Emanuel A. 2007. *Sequence Organization in Interaction: A Primer in Conversation Analysis,* Volume 1. Cambridge: Cambridge University Press.

Schegloff, Emanuel A. 2010. "Some Other 'Uh(m)'s." *Discourse Processes* 47: 130-174.

Schegloff, Emanuel A., Gail Jefferson, and Harvey Sacks. 1977. "The Preference for Self-Correction in the Organization of Repair in Conversation." *Language* 53 (2): 361-382.

Schegloff, Emanuel A., Elinor Ochs, and Sandra A. Thompson. 1996. "Introduction." In *Interaction and Grammar,* edited by Schegloff, Ochs, and Thompson. Cambridge: Cambridge University Press.

Schiffrin, Deborah. 1988. *Discourse Markers.* Cambridge: Cambridge University Press.

Searle, John R. 1990. "Collective Intentions and Actions." In *Intentions in Communications,* edited by P. Cohen, J. Morgan, and M. E. Pollack, 401-415. Cambridge: MIT Press.

Sidnell, Jack. 2010. *Conversation Analysis: An Introduction.* London: Wiley-Blackwell.

Sidnell, Jack, and Tanya Stivers, eds. 2012. *The Handbook of Conversation Analysis.* Oxford: Wiley-Blackwell.

Sperber, Dan, and Dierdre Wilson. 1995. *Relevance: Communication and Cognition,* 2nd ed. Oxford: Blackwell.

Steffenson, Sune V., and Alwin Fill. 2013. "Ecolinguistics: The State of the Art and Future Horizons." *Language Sciences* 41: 6-25.

Stivers, Tanya. 2010. "An Overview of the Question-Response System in American English Conversation." *Journal of*

Pragmatics 42: 2772-2781. doi: 10.1016/j.pragma.2010.04.011.

Stivers, Tanya, N. J. Enfield, Penelope Brown, Christina Englert, Makoto Hayashi, Trine Heinemann, Gertie Hoymann, et al. 2009. "Universals and Cultural Variation in Turn-Taking in Conversation." *Proceedings of the National Academy of Sciences of the United States of America* 106 (26): 10587-10592. doi: 10.1073/pnas.0903616106.

Stivers, Tanya, and Jeffrey D. Robbinson. 2006. "A Preference for Progressivity in Interaction." *Language in Society* 35 (3): 367-392.

Stivers, Tanya, and Federico Rossano. 2010. "Mobilizing Response." *Research on Language and Social Interaction* 43: 3-31.

Svennevig, Jan. 2008. "Trying the Easiest Solution First in Other-Initiated Repair." *Journal of Pragmatics* 40 (2): 333-348.

Takahashi, D. Y., D. Z. Narayanan, and A. A. Ghazanfar. 2013. "Coupled Oscillator Dynamics of Vocal Turn-Taking in Monkeys." *Current Biology* 23: 2162-2168.

Tannen, Deborah. 1984. *Conversational Style: Analyzing Talk Among Friends.* Oxford: Oxford University Press.

Thompson, S. A. 1998. "A Discourse Explanation for the Cross-Linguistic Differences in the Grammar of Interrogation and Negation." In *Case, Typology and Grammar: In Honour of Barry J. Blake,* edited by Anna Siewierska and Jae Jung Song, 309-341. Amsterdam: John Benjamins.

Thompson, Sandra A., Barbara A. Fox, and Elizabeth Couper-Kuhlen. 2015. *Grammar in Everyday Talk: Building Responsive Actions.* Cambridge: Cambridge University Press.

Tomasello, Michael. 2008. *Origins of Human Communication.* Cambridge: MIT Press.〔『コミュニケーションの起源を探る』松井智子・岩田彩志訳，勁草書房〕

Tomasello, Michael. 2016. *A Natural History of Human Morality.* Cambridge: Harvard University Press.〔『道徳の自然誌』中尾央訳，勁草書房〕

Turner, Lynn H., and Richard West. 2010. *Communication Accommodation Theory: Analysis and Application.* 4th ed. New York: McGraw-Hill.

Tyack, Peter L. 2003. "Dolphins Communicate About Individual-Specific Social Relationships." In *Animal Social Complexity: Intelligence, Culture, and Individualized Societies,* edited by Frans B. M. de Waal and Peter L. Tyack, 342-361. Cambridge: Harvard University Press.

Tylor, E. B. 1889. "On a Method of Investigating the Development of Institutions; Applied to Laws of Marriage and

Descent." *Journal of the Anthropological Institute of Great Britain and Ireland* 18: 245-272.

Uryu, Michiko, Sune V. Steffenson, and Claire Kramsch. 2014. "The Ecology of Intercultural Interaction: Timescales, Temporal Ranges and Identity Dynamics." *Language Sciences* 41: 41-59. doi: 10.1016/j.langsci.2013.08.006.

Ward, Nigel. 2006. "Non-Lexical Conversational Sounds in American English." *Pragmatics and Cognition* 14 (1): 129-182.

Wierzbicka, Anna. 1996. *Semantics: Primes and Universals.* Oxford: Oxford University Press.

Wierzbicka, Anna. 2003. *Cross-Cultural Pragmatics: The Semantics of Human Interaction.* Berlin: Walter de Gruyter.

Zeitlyn, David. 1995. "Divination as Dialogue: Negotiation of Meaning with Random Responses." In *Social Intelligence and Interaction: Expressions and Implications of the Social Bias in Human Intelligence,* edited by Esther N. Goody, 189-205. Cambridge: Cambridge University Press.

訳者あとがき

ビーバーという動物がいる。ご存知の方も多いだろうが、ビーバーはダムを作る。姿形がよく似た動物は他にもいるが、ダムを作るという特異な習性で他と区別される。ダムの作り方は誰かに習うわけではなく、生まれつきそういう能力を持っているらしい。私も専門家ではないので、確たることはわからないが、調べた範囲ではどうもそのようだ。

ハチドリという鳥がいる。花の蜜を吸う鳥で、そのために長いクチバシをしている。中でも、ヤリハシハチドリのクチバシは極端に長いが、このクチバシはトケイソウという花の蜜を吸うのにちょうどいいらしい。トケイソウの花は一〇センチメートルほどもある長いものでそう簡単に蜜を吸うことはできない。ところが、ヤリハシハチドリだけは、このトケイソウの蜜を吸うのにちょうどいい長さのクチバシを持っている。

ミツバチという昆虫がいる。ミツバチには女王バチと働きバチがいる。女王バチは卵を産むが、それ以外、自分では何もできない。対して働きバチは女王バチや卵、幼虫などの世話をする能力、ハチミツを作る能力など様々な能力を持っているが、卵は産めない。

三つほど例をあげたが、ビーバーはどうやらダムとセットのようだし、ヤリハシハチドリはトケイソウとセット、女王バチと働きバチもセットだ。個々に存在することはない。となると、どこまでを一個の生物と考えればいいのかわからなくなってくる。普通、生物は個体がそれぞれ独立した存在と考えがちだが、どうもそうではないらしい。

どれも極端な例じゃないか、あくまで特殊な例であって、ほとんどの生物の個体はそれぞれに独立していると考えていいのではないか、と考える人もいるだろう。果たして本当にそうだろうか。少なくとも私たち人間に関してはそうではないのかもしれない、と本書を読んでいると思えてくる。

本書は、N・J・エンフィールド著“How We Talk”の全訳である。おおざっぱに言えば言語学の本だが、通常の言語学がもっぱら「書き言葉」の文法、語法などに注目するのに対し、本書は「話し言葉」の「会話」に注目している。

会話には暗黙のルールがあるという。いずれも、会話を円滑に進めるのに役立つルールだ。研究によると、そのルールは細かい違いはあるものの、ほぼ万国共通らしい。つまり、どうやら、誰かに教わるわけではなく、人間が生まれつき知っているルールである可能性が高い。その人が良い人か否かにかかわらず、会話の際は概ねルールを守ろうとするし、守らないとしても、自分がルールに違反していることは認識している。

これは何を意味するのか。人間と会話はセット、もっといえば、人間は「他人」とセットということだ。会話は他人とするものだからだ。その会話のためのルールを備えて生まれてくるのは、人間は会話なしでは、他人なしでは成り立たないということを意味する。個人は一人一人が独立した存在のようであるが、実はそうではないらしい。

顕著なのは「話者交代」に関するルールである。誰かが話している時に、かぶせて話をしてはいけない、というのは誰もが知っていることだろう。これは礼儀、マナーの類だと思っている人が多いのではないか。しかし、実際にはマナー以上のものだと著者は言う。人は相手の話がいつ終わるかを無意識に予測しながら耳を傾けている。人間の反応速度からして、話が終わったのを確認してから話し始めるのでは応答まで間が空きすぎてしまうからだ。なので、「そろそろ終わりそうだな」という気配を感じたくらいで話す態勢に入るらしい。そうして、交代にだいたい〇・五秒より長い時間がかからないよう無意識に調整している。これはどの言語圏でも同じらしい。本当だろうか、とは思う。だが、市井の人々の日常の会話という「野生の言語」を長時間観察した「フィールドワーク」の結果わかったことなので、信頼度はかなり高いと考えられる。

会話に関するルールは万国共通と言ったが、国ごと言語ごとにわずかな差はある。著者は英語圏の人なので、あまり深掘りはされていないが、本文中にさりげなく「話者交代時の応答にかかる時間が最も短いのは日本語」と書かれている。日本語圏の人間としては非常に気になった。なぜなのだろうか。偶然かもしれないが、何か応答が速くなる日本語特有の事情があるのかもしれない。すでにどこかで研究が進められているのなら、その成果を知りたい。また、本書をきっかけに研究をする人が現れれば素晴らしいことだろう。

会話の研究により、自分と他人の境界線は私たちが思っているより曖昧だということがわかってきた。人間は、あくまでも他人の存在を前提として、集団の中で生きることを前提として作られている生き物らしい。だから個より集団を優先すべき、という短絡的なことは言わない。それはまた別の次元の話だ。しかし、人間がそういうふうにできているのを知れば、個人としてより良く生きるにしても、生き方が多少、変化することになるかもしれない。本書が、より広い視野で人間を、世界を見るきっかけになったとすれば訳者としてこれ以上の喜びはない。

最後になったが、翻訳にあたっては、文藝春秋の高橋夏樹氏に大変お世話になった。この場を借りてお礼を言いたい。

二〇二三年一月　夏目大

著者

ニック・エンフィールド　Nick Enfield

シドニー大学言語学教授、シドニー社会科学・人文科学高等研究センター長。東南アジア本土、特にラオスでの長期にわたるフィールドワークによって、言語、文化、認知、社会生活を研究している。ラオスの国語で、タイ、カンボジアなどでも話されているラオ語と、ラオスとベトナムの国境付近で300人ほどのコミュニティで使われているクリ語を専門とする。近著に『Natural Causes of Language』『The Utility of Meaning』『Distributed Agency』（編・著）など。

訳者

夏目大

翻訳家。『因果推論の科学』（ジューディア・パール／ダナ・マッケンジー、文藝春秋）、『ネットリンチで人生を破壊された人たち』（ジョン・ロンソン、光文社）、『デマの影響力』（シナン・アラル、ダイヤモンド社）、『南極探検とペンギン』（ロイド・スペンサー・デイヴィス、青土社）、『エルヴィス・コステロ自伝』（エルヴィス・コステロ、亜紀書房）、『タコの心身問題』（ピーター・ゴドフリー＝スミス、みすず書房）ほか訳書多数。

DTP制作　エヴリ・シンク

会話《かいわ》の科学《かがく》

あなたはなぜ「え?」と言《い》ってしまうのか

2023年3月30日　第1刷発行

著　者　ニック・エンフィールド
訳　者　夏目大《なつめだい》
発行者　大沼貴之
発行所　株式会社　文藝春秋
東京都千代田区紀尾井町3−23（〒102-8008）
電話　03-3265-1211（代）
印刷所　精興社
製本所　加藤製本

ISBN 978-4-16-391679-8　Printed in Japan